カゲロウデイズⅡ

-a headphone actor-

じん(自然の敵P)

KCG文庫

目次

ヘッドフォンアクターI

夕暮れの廊下には、私と、私の影だけが立ち尽くしている。


首にぶら下げたヘッドフォンから、先ほどまではラジオが流す音楽が漏れ聞こえていた。

しかし、今はノイズの音と共に人間の声のようなものが聞こえる。

明らかにこれまでとは雰囲気が違うその音が気になって、ヘッドフォンを着けてみた。


——断続的だった音声は、次第に何かの言葉を紡ぎ始める。

それは、どこかの国の大統領のニュース会見のようだった。

演技のように大袈裟（おおげさ）なその声と、少し遅れて機械のような同時通訳。

かなりノイズが混ざっているが、どうにか聞き取ることができる。


「……非常に残念な……ことで……が……本日……地球は終わ……ます」

その言葉が終わると同時に、沢山の悲鳴や意味のわからない言葉の羅列が聞こえてくる。ヘッドフォン越しでも、阿鼻叫喚の様相が痛いほど伝わってきた。

紅に染まる窓の外、濃い紫の空に浮かんだばかりの三日月を、黒い蟻の群れのようにも見える大きな鳥たちが覆い隠していく。

ヘッドフォンを外し元いた部屋に目をやると、やりかけのゲームと参考書の山が夕日を受けてオレンジ色に輝いていた。

私は今まで何をしていたのだろう。

ついさっきまで誰かと喋っていたような気もするが、それすらも思い出せなかった。

「……きっと何かの冗談だ」

自分に信じ込ませるように呟き、廊下に連なる窓の一つを開ける。すると今まで聞いたこともないほどにけたたましいサイレンの音や、人々の叫び声が聞こえてきた。

その騒音は徐々に大きく膨らみ、街全体を包み込んでいった。

唇が震え、歯がカチカチと音を立てる。

私は一人だ。

ここにはもう、誰もいない。

そしてもうすぐ、私もいなくなるんだ。

心臓の鼓動が速まり、涙が頰(ほお)を伝った。


──一人は嫌だ、一人は怖い。


私は絶望の渦に飲み込まれていく世界から逃げるように、自分を切り離すように、再び密閉型のヘッドフォンを着けた。

ラジオの音はすでに途絶え、今やノイズすらも聞こえない。

「……もう、全てを諦(あきら)めてしまおう……」

そう呟いた瞬間、ふと、何かが聞こえた気がした。

注意深く聞いてみると、それは私に対して語り掛ける声のようだった。

──そして、私はすぐに気がついた。

この声は、他でもない、私自身の声だ。

『ねえ聞こえる？　まだ行かなくちゃいけないところが……伝えなくちゃいけないことがあるよね？』

私はそれがなんなのかを思い出せなかった。
しかし、その言葉の意味は、なぜだかわかる気がした。

『大丈夫、疑わないで。きっとあの丘を越えれば、その意味を嫌でも知ることになるから。このままだとあなたは消えてしまう。ねぇ――』

私は、再びこぼれ落ちそうになった涙を拭い取ると、息を吸い込んだ。

『――生き残りたいでしょ？』

世界が終わってしまったその日。
私は自分の声に導かれるように、波打つ地面を思い切り蹴った。

夕景イエスタデイⅠ

けたたましいアラームの音で目を覚ました。

手探りで音の鳴っている枕元に手を伸ばし、携帯をたぐり寄せる。

とりあえずアラームを止め、時間を確かめた後、再び目をつぶり最大級のため息をつく。


……おかしい。いや、おかしいおかしい、絶対におかしい。

なにせ今日は十一時間も眠ったはず。

なのにこの眠気は一体なんなんだ。ぼったくりすぎだろう。花の女子高生が「深夜帯」という貴重な対価を払ったのにもかかわらず、体が受けた満足感が少なすぎる。

なにがいけなかったんだ。私の花成分が足りなかったとでも言うのか……起きていてもすることはオンラインゲームくらいのものだけど、それでも対価は対価だろう。

体中が倦怠感に満ち溢れ、「よせ！　もっと眠らないと死んでしまうぞ。考え直せ！」と危険信号を発している。

危険信号を受け取った脳が、「布団から抜け出さなくて済む方法」を考え始めた。

例えば、作戦その１『仮病』。

私は今、祖母と二人暮らしだ。きっと「今日は体調が悪いんだけど……」などと言えば、学校なんて簡単に休めるだろう。

祖母を騙すのは少々気が引けるが、この際仕方がないと言える。

しかし、この作戦は非常に良くない。

下手に「体調不良だ」なんて訴えた日には、祖母によりすぐに病院送りにされてしまう。やれ検査だ、やれ入院だ……なんてことになったらと思うと心底ゾッとする。

ゲームもろくに出来ない病室で、ただひたすらに暇を潰すなんてのはごめんだ。

大体みんな神経質過ぎるのだ。この「病気」の症状にしても、生死に関わるようなものではないというのに、大袈裟過ぎる。

死んだ祖父は特に神経質に私の病気を気にし、色々と過度に取り計らってくれたりしたものだから、今年入学した高校では見事に腫れ物扱いをされることになってしまった。

……まぁ、確かに教室でいきなりバタンと倒れてしまったりすれば、周りにしてみると迷惑だろうし、何よりも恥ずかしいだろう。

「それを考えると今の状態が最善なんだろうな」

――そう思いながら生活して半年以上が過ぎた。入学してからいまだにまともな友人が出来ないのは、ここに問題があるのではなかろうか。

とにかく、そんなこんなで作戦その1は破綻。

ここまでの演算所要時間は約二分。これは、「朝の時間経過の体感速度の速さの法則」を考えれば、圧倒的な思考速度と言えるだろう。

作戦その2『今日は実は休校日だった』。

祖母に実は今日は休校日だったと伝え……ここまで考えて昨晩「明日お弁当いるの？」と聞かれた時に「うん、卵焼きが食べたい！」なんて会話があったことを思い出す。

……私は馬鹿野郎か！　なにが卵焼きだ！　お弁当よりも「睡眠時間延長チケット」をリクエストするべきだった。そんなものはもちろんないのだが。

そんな私の想いとは裏腹に、卵料理が発する良い匂(にお)いが漂ってくる。昨日のリクエストに応えるべく「シェフ・祖母」が心を込めてお弁当の準備をしているのだろう。

必死にサボる口実を考えていることが罪悪感で「うぅ……」と声が漏れる。私はなんて祖母不孝なのだろうか。

寝返りを打ち、少し布団にもぐり直して、思考をリセットする。

……それにしても祖母は目覚ましもかけずになぜ、毎日毎日あんなに規則正しく早起きが出来るんだろう。何か精密なコンピューターでも詰まっているとしか思えない。まさにコンピューター祖母……。

——そんな下らないことばかり考えているうちに、ギシギシと下の階から階段を上ってくる足音が聞こえてきた。古い木造建築独特のホラー描写のようなこの音は恐らく、いや、間違いなく私を起こしに来るためのものだ。

一気に布団をかぶり、最後の悪あがきをする。

ああ……もう時間がない……作戦3……作戦……作せ……。

「いつまで寝てるの!!　間に合わなくなる前にさっさと支度なさい！」

「うぅ……あい……」


作戦失敗。

開けられたカーテンから強い日差しが降り注ぎ、私は頭の中で「GAME OVER」の赤い文字を思い浮かべていた。

＊

小春日和。

カゲロウ立ち揺らめく真夏日が終わり、秋が過ぎ、通学路の風景はすっかり冬めいていた。道行く学生たちの中にも冬服が目立ち始め、セーターに身を包んだ仲良さそうな男女の姿がチラホラと視界に入る。

――そんな学生たちに露骨な嫌悪感を表しつつ、歯の浮くような会話をヘッドフォンで完全にシャットアウトし、黙々と学校を目指す私「榎本貴音（えのもとたかね）」は非常に機嫌が悪かった。

いや、これは特筆することではないかもしれない。これが私のデフォルトだ。夜更かしが習慣になってしまったため、基本的に朝目を覚ましてから、午前中は眠気でイライラしている。

午後になったらなったで、クラスメイトや先生の態度に何かとイライラしている。そのせいなのか常時目つきも悪いようで、よく「怒ってるの？」と聞かれる。そしてその度にまたイライラするものだから、非常に悪循環だ。

いっそヘラヘラといつもおちゃらけて、悪ふざけばかりして過ごしてみたいものだが、そんな性格にはなれるとも思っていないし、なりたいとも思わない。

そんな下らない自身の将来の妄想にすらイライラしてしまう私は、本日もいつも通りの不機嫌な通学を敢行していた。

だがしかし、家から学校までの距離はかなり近く、バスやら電車やらを使う必要がないというのは、唯一の救いだった。

なにせ通学に体力を使わなくてもすむし、何よりギリギリまで寝ていられる。

おかげで今日も、電車通学組が乗り換えに四苦八苦しているであろう時間にのんびりと目を覚まし、ホームルームの十五分前に余裕で校門をくぐることが出来そうだった。

校門まで一直線の通りに出ると、一気に同じ学校の制服を着た生徒の数が増えた。自然と歩く速度は速くなり、目つきはさらに悪くなる。

私は校門の手前でヘッドフォンを外し、コードを巻き取って鞄の中にしまった。誕生日に祖母が買ってくれたこのヘッドフォンは、かなり気に入っていた。ルックスも可愛いし、音も良い。「音も良い」と言っても、クラスメイトのイヤホンを借りた時に「なんか音がショボい」と感じて以来そう思っているだけで、特に高級なものではない。ただ、これに慣れてしまった私にとっては、唯一無二の相棒だった。

校門前に立っているイカツイ体育教師に会釈をし敷地内に入ると、学校内は一週間後に近づいた学園祭の準備で、大層な賑わいを見せていた。

校門から正面玄関へと延びた、幅約十メートルの道の途中途中には、各クラスの出し物準備スペースが展開されている。

「塗装中!! 絶対サワルナ!」という異様に巨大な注意喚起の看板や、「段ボール求む! 提供していただける場合は2—A実行委員まで連絡を!」という、素材募集の張り紙などが目に入ってきた。

見渡せば一体朝何時から作業しているのか、すでに服がペンキ塗れになっている生徒や、すでに何かモンスターらしき生物の仮装をしている生徒、はたまた「男子がちゃんとしないから……」と泣き出している『学園祭なんだからみんなで頑張ろうよ系女子』なんかもちらほらとおり、目の前の光景はまさに「青春の具現化」そのものだった。

——しかし、『普段陰口ばっか言い合ってるくせにこういう時だけ仲間意識持ち出す奴なんなの系女子』である私にとって、学園祭準備なんてものは邪魔でしかなかった。

さらに準備期間中はそのお祭りテンションから校内は普段に増して騒がしくなり、夜中まで居残り、イチャイチャと不埒な行為を働く輩まで出て来るものだからタチが悪い。

そして学園祭本番が終わり、残るものと言えば尋常じゃない量のゴミくらいのもの。

何だこの不毛なイベントは。アホらしい。

そういえば、昨日配られたプリントに、私が「一応」所属している一年B組で、もはや世界中でやり尽くされたであろう伝統の出し物「メイド喫茶」をやると書いてあった。

この出し物の企画会議どころか、通常の授業にすら出ていない私にとって、それは全く無関係なことであり、好都合なことでもあった。

もし一時のテンションでメイド服なんて着た日には、一生拭い去ることの出来ない業を背負うことになってしまう。そんなもの誰がやるか。

そんなことを悶々と考えながら、私は巨大な恐竜の模型の股下をくぐり抜けヘラヘラと道を塞いでいるアホ面の男子を睨みで退かせてから、玄関へと向かった。

「押す」という文字が読み取れないほどに風化したドアの取っ手を押し、足を踏み入れた校舎内は、暖房の力で非常に適度な温度設定がなされていた。

外靴を脱ぎ、上靴を取り出すべく下駄箱に目をやるが、この木製の下駄箱も相当に古い。

聞いた話だとこの校舎自体が相当歴史ある建物のようで、政治家や芸能人などの有名人も含め、数多くの生徒を輩出して来た誇らしい学び舎であるらしい。

しかし正直そんな歴史を自慢げに話す前に、とっとと改修工事をしてもらいたいというのが、大半の生徒の要望だ。

我らが誇らしい学び舎は、夏の台風で体育館の天井に穴があくわ、水飲み場の底が抜けるわと、かなり切ない事件を連発していた。

特に今年一番の真夏日というあたりで学校内の全ての空調が壊れるという大事件は非常に問題になり、生徒からも「一刻も早く転校したい」という意見が続出するほどだった。

しかし夏休み期間中に行われた申し訳程度の空調工事で、冷暖房機能は復活。学校設備への不満を盾に、なんとかして夏休みの延長を謀ろうとした一部の在校生も、渋々二学期の登校を余儀なくされたのだった。

簀の子の上で上靴に履き替え、そそくさと廊下へ抜ける。

学校生活において、私はこの瞬間が一番苦痛だった。皆が和気あいあいと下駄箱正面の廊下を左へ曲がり、普通教室へと続く二階への階段を上る中、私はただ一人右折し、人の少ない科目教室ゾーン、その中でも特に異質な、薬品臭の漂ういつもの教室を目指す。

そう、私にとっての「普通教室」は養護担任の影響で「理科準備室」なのだ。

ここ数年、近隣市街地の発展に伴って生徒数が急激に増加したことから普通教室は全て各クラスに割り振られており、現状「養護学級」として使用出来る教室がないことがその理由だった。

設備的には、机と教卓があれば教室としては十分なのだが、考えてもみて欲しい。花の高校生活三年間の大半の時間を、ホルマリンの匂いが漂う部屋で過ごすことになるのだ。それを考えるとかなり切ない気持ちになるのだが、私を含め現在その教室に通う生徒は二人しかいないため、とにかく静かで平穏だという点においては非常に過ごしやすく、自分の持っている病気のこと、さらに、今から普通教室へ移ったところで浮いた存在になってしまうであろうという懸念から、この状況を否定することは出来ずにいた。

廊下を進み、周りに誰もいなくなったことを確認し、「はぁ……」と大きくため息をつく。美術室や音楽室、家庭科室を通り過ぎ、部室棟へと続く大きな左折路を右に向き合ったところに、「理科準備室」とかかれたプレート。

――そしてその下に、見慣れた薄緑色の引き戸があった。

色々文句はあるものの、やはり人が少ないこの教室はどこか安心感がある。

どうせ先生はいつものように遅刻してくるだろうし、唯一のクラスメイトも、絵ばかり描いているマイペースなやつだ。

「先生が来るまで、少し居眠りでもしていようかな」などと考えながらドアを開けると、眠気を消し去るとんでもない光景が飛び込んで来た。

「おはよ……ってうわあああああ‼」

「え？　あ、貴音。おはよ～」

そこには一片の曇りもない笑顔で挨拶を返す、同級生「九ノ瀬遥（ここのせはるか）」が立っていた。

見るからに病弱そうな白い肌におっとりした柔らかな物腰。趣味と特技は絵を描くこと。名前も合わさって女子のような設定だが、普通の男子だ。

ただ、今のこいつは「普通」ではなかった。

――どこからどう見ても……パンツ以外の何も着用していない。

「な……な……⁉」

朝一番の非現実的な光景に言葉を失う。目のやり場を必死に探すが、そいつはその状態のままズンズンとこちらに迫って来た。

「あ、ねぇねぇ、ちょっと聞いて欲しいんだけど……今朝、校庭の噴水のとこで猫がね、こうスッと寄って来てさ、それで撫(な)でようと思ったんだよ。でもこう、なんていうかなぁ、うまくかわされちゃってさ。そしたらバランス崩しちゃってその噴水に落ち――」

「い、いいから!! 原因とかいいから!! は……はやく服着て!!」

焦ることもせず、「いやぁ困った困った」という表情で淡々と半裸に至るまでの道筋を話そうとする遥は、私の必死の叫びに対しても少し首を傾(かし)げるだけだった。

「えぇ？ だってまだ服乾いてないよ？ ホラ」

暖房の前に干されている制服を指差しながら、私の方が間違ったことを言っているかのような振る舞いをみせる。その距離わずか五十センチメートル。

あまりにも非現実的な出来事に仰(の)け反(ぞ)り、先ほど閉めたばかりの引き戸にガシャン！とぶつかりながらも必死の言及を繰り出す。

「あ、あ、ああ!! わかった！ もう濡れててもいいから！ と、とりあえずそれ着て!! ジャージとか探すからそれまで着てて!!」

「え？ う～ん、わかった……けどえぇと……あれ？ シャツがない……シャツ～……」

「シャツ踏んでるって!! 足下!! あぁもう！ 貸して！」

「女子の前で半裸」という事の重大さを感じてはいないのか、遥は亀のようにモタモタとした動きでようやく着衣を開始した。

しかし、それをゆったりと見守っていられるような状況ではない。

遥が拾い上げたシャツを奪い取り、直視しないよう目をつぶって、強引に着させようと試みてみる。

「うわっ！　いや、大丈夫だよ一人で着れるって！　ちょっとそれ逆の手だよ～……」

「ぎゃあああ！　動くなやめろ!!　こっち向くな!!」

それは誰がどう見てもまともな状況ではなかった。なぜ朝一番から半裸のクラスメイトに着衣を強要しなければならないのだろう。

こいつがクラスメイトでなければ、さっさと警察に引き渡してもいいレベルだ。

しかし、もし今のこの状態を誰かに見られでもしたら非常にまずい。

それこそよくある少女漫画のように、あらぬ誤解をされてしまうかも……などと思った矢先、予想していた最悪の事態が起こった。

「う～す、ホームルーム始めるぞ～って……」

気の抜けた声と共にガラッと勢いよく開かれたドアの向こうには、私たち二人の担任であり、この学校の理科の授業を受け持つ教師「楯山研次朗（たてやまけんじろう）」が立っていた。

先生は先ほどの私の表情とは対比になるだろう唖然とした表情をし、ボトリと出席簿を床に落とした。

「あ……いや……あの先生、これは……」

「あ、先生おはようございます～」

一気に背筋が凍り付いた私とは対照的に、半裸の遥は笑顔で挨拶を返す。

この状況は客観的に見れば恐らく「朝も早くから純朴な男子高校生を全裸にひんむこうとしている目つきの悪い女生徒」と見えることだろう。

おそらくは一瞬だったのだろうが、体感時間的には恐ろしく長く感じられた沈黙が流れ、どういう結論に至ったのか先生は「おう……邪魔したな……悪い……」という言葉を残し、廊下に出て行こうとした。

「ぎゃあああ!!! 違う!! 違うんです!! こいつが……ふ、服も着ないでフラフラしてるもんだから、ふ、服を着せようとしてただけなんです!!」

曖昧な表情で教室を去ろうとしていた先生は、ピタッと動きを止めた。

「え？ あ、あぁ、なんだそんなことか……。いやぁ、俺はてっきりもう我慢が効かなくなったのかと思ってよ……」

先生はホッとため息をつき、笑みを浮かべながら出席簿を拾い上げる。

「いや普段から狙ってたみたいな言い方しないでくださいよ！　っていうかもしそうなら一大事でしょ⁉　思いっきり逃げようとしてたじゃないですか‼」

「いやぁ、ほら、なんか面倒ごとになったら『知らんかった』ってのが一番楽だからな。あれだよあれ。やっぱり自由な環境で伸び伸び育ってもらいたいしよ……」

「あんた最低だな‼　っていうかちょっと、こいつの服着せるの手伝ってくださいよ！理事長に言いますよ！」

ぽりぽりと頭を掻きめんどくさそうにしていた先生だったが、『理事長』という言葉が出た途端「ＯＫ」と一言呟き、電光石火の早さで遥に服を着せ始めた。

こんな、「悪い大人の例」にはなかなか出会えないだろう。

ある意味本当に貴重な勉強をさせてもらっているなぁ……と痛感する一瞬だった。

「うぇぇ……やっぱビショビショして気持ち悪いよ先生……」

先生の軽快な手捌きにより再び服を着せられた遥は、酷く気持ち悪そうな声を漏らして席に着いた。

私もやっと席に着くが、椅子に座った瞬間とてつもない疲労感に襲われた。

こいつのせいで朝からどれだけヒットポイントを削られたのだろうか。

恐らく今日は、この後もう一切笑うことはないだろう……。

二つ並んだ机の対面、少し高い位置に向かい合わせで教卓がある。先生はそこにある背の高いパイプ椅子に腰掛け、出席簿を開いた。

「あ～わかったわかった、後でジャージ持って来てやるからよ。……つ～わけでおはよう。あ～二人とも出席だな……よしっと。いやぁ、毎日飽きもせず登校ご苦労さん」

「……それ先生の言う言葉じゃないですよね」

先生はぐで～っとうつ伏せになりながら、「先生が言ってんだから先生の言葉だろ～」と気の抜けた声を発した。

こんな人が教師になれたのだから、世の中は本当に平和なのだろう。

しかし、非常にこの国の将来が思いやられる。

「あ～、今日のホームルームはだなぁ。う～んなんだったけかな……えぇ～と、メモしたようなしてなかったような……」

「早くしてください！」

ただでさえ朝の一件でイライラしているのに、この人を見ていると、さらに負の感情が膨らんでいく。赤ペンをクルクルと回すその姿は、だるそうな小学生そのものだった。

「あ～待て待て、え～っと……お！　そうだそうだ、学園祭の出し物決めなきゃマズいんだった。お前ら結局何やるの？」

「ええ⁉　先生この間その話になった時『なんもやんなくていいんじゃね？』って言ってましたよね⁉　それから話もしてないんだから、決まってるわけないじゃないですか！」

　私はガタンと音を鳴らし椅子から立ち上がるが、そんなもの屁とも思わないのであろう、死んだ目の教師は起き上がることもしなかった。

「あ～、いや、それがなぁ……先週理事長に『楯山先生のクラスではどういった出し物をするんですか？』とか聞かれちまってな。まぁもちろんなんも考えてるわけないからよぉ、とりあえず『ビックリする特別企画用意してるんで！　期待していてください！』とだけ言っといたぞ」

「いや、どんだけ理事長に良い顔したいんですか‼　『言っといたぞ』じゃないでしょ⁉　どうするんですか！　あと一週間しかないのに……‼」

　ガクンと再び椅子に腰を落とし、顔を手で覆う。横からは遥の「あ、じゃあ射的屋さんがやりたい」という準備も予算も何も考えていないであろう間抜けな意見が聞こえ、より一層絶望感を煽る。

　正直この先生がどうなろうと知ったことじゃないが、もし仮に私たちの現状ノープランの出し物が『特別企画』などという名目で学校配布のプリントにでも載せられたとしたら、それこそもうどうしようもない。

そうなった場合、結末は絶望、深淵の闇(やみ)、そして破滅……。

「あああ……!!」

想像しただけでもおぞましすぎる未来に、思わず声が漏れる。仮に頼れるクラスメイトでもいれば、この逆境に何か燃え上がることもあるのかもしれないが、横でびしょ濡れになっているノーテンキ男と、ＴＨＥ人間のクズである先生と私の三人では、どう考えても戦力不足だった。

私は私で何か打開策を……とは考えてみるものの、普段ゲームばかりしているせいか、目が覚めきっていないせいか、脳が思うようなパフォーマンスをしてくれない。

突き付けられた過酷な現状、そしてなす術(すべ)もない悲惨な手札に頭を抱えていると、先生が気まずそうな顔でこちらを眺めていた。

「……ま、まぁ落ち着けよ死んだわけじゃねぇんだから。とりあえずこの教室はある程度自由に使っていいってのと、あとは俺も協力するからよ。とりあえず、適当になんか出しちゃあくれねぇか？」

先生……いや、もはや先生とは呼べないこの男の発言は、後半の「俺も協力するから」の辺りに特に信頼感が持てなかった。

私にとって、事はそんなに甘くなかった。

もし、『特別企画』といった名目にもかかわらず、非常に残念な出し物をしてしまった日には、方々で色々噂をされ恐らく向こう二年間はまともな学校生活を送れないだろう。

遥はそんなことを気にも留めていないだろうが、少なくとも私にとっては一大事だ。

ただでさえ学校内で浮いた存在になっているというのに、これ以上下手に目立つことはしたくはない。

しかし先生の発言の「この教室を使っていい」という部分には、なにか打開策に繋がる要素がある気がした。

この教室も私たちにとってはもう見慣れてしまったが、来場者にしてみれば珍しいものも多いはず。例えば「○○実験」などと銘打ったものでも出せれば、ワクワクしない人はいないだろう。

「……せめてなんか面白いこと出来たらいいんですけどね……っていうか予算！　先生、たしか出し物って各クラスに予算出ますよね⁉　私たちっていくら貰えるんですか⁉」

私がそう尋ねた途端、先生はギクッという音が聞こえるのではないかという表情をし、それと同時にチラリと私たちの背後にある備品棚に目をやった。

「え？　何見て――」

その一瞬を見逃さなかった私が先生が見たであろう方向に目をやると、様々な実験用品や薬品瓶に紛れ、どこか見覚えのある不気味な魚の標本が目に入った。

それは先生が以前、教材通販のサイトを眺めながら「この標本かっけぇんだよ……でも高くてなぁ……」と呟いていた珍海魚の標本だった。

「……あれ？　おかしいですね。先生、あの標本は確か高くて買えないんじゃなかったんでしたっけ？」

ずいぶん涼しくなってきたというのに、先生の額(ひたい)にはかなりの量の汗が滲(にじ)んでいるのが見て取れた。睨みを利かせる私と目を合わせることも出来ず、ただ無言で俯く姿はまるで探偵漫画の中で動かぬ証拠を突きつけられた犯人のようで、今にも動機をペラペラと吐露しそうな雰囲気を醸し出していた。

「……先生……出し物の予算……使ったんですね？」

「……アイツが……アイツが悪かったんだ……!!」

その後、先生が下手な演技に熱を込めて語り出したのは「珍海魚の標本（アイツ）が、ちょうど各クラスに割り当てられる費用が算出されたタイミングで、40％ＯＦＦのセールを始めた」という、擁護の余地がまるで見当たらない犯行動機だった。

……というか動機でもなんでもない。

まるで、自分は珍海魚に魅了された被害者であるかのように語るその様に、私はもはや怒りや侮蔑を通り越し、ある種同情に似た感覚を覚えていた。

「で、結局どうするの？　僕的にはえっと……射的とかがいいと思うんだけど……」

すでに先生の演説は「いかに珍海魚が魅力的か」というテーマにシフトしており、私はいかにしてこの先生を理事長に突き出してやろうかと考えていたそんな時、何をそんなに推しているのか、遥から再び射的をやりたいという意見が出てきた。

「……あのねぇ、射的なんて景品も沢山必要だし、準備は大変だし、私たちだけじゃどう考えても無理でしょ？　第一もうこのアホ先生のせいで予算ないんだよ？」

「う～ん……良い案だと思ったんだけどなぁ。他のクラスの出し物、全部見たけど射的はないみたいだったし」

遥がボソッとそう言ったが、それはとても意外なことに聞こえた。他のクラスの出し物に「射的」がなかったのは恐らくそれこそ予算の関係だろう。校舎の改修工事もままならないというのに、一クラスの出し物の予算に、景品を沢山揃(そろ)えるほどの費用を割けるとは到底思えない。

問題はそれよりも、いつもボーッとしており何を考えているかもわからないこの遥が、学園祭の他のクラスの出し物に関して、全ての内容を知っているほどに関心を持っているということだった。

「……あんたもしかして、学園祭結構楽しみにしてる？」

そう聞くと遥は照れたように、「実は結構」と応えた。先ほどは半裸を見られても照れなかったくせに、こいつの羞恥(しゅうち)のツボはどうやら人とは少し違う部分にあるようだ。

「なんか意外なんだけど……っていうかあんたこないだ、『出し物はやらない』って話になった時も、全然何も言わなかったし……」

「いやだって、僕、体弱いから急に倒れちゃったりしても大変だし、周り見てると準備も大変そうだから、しょうがないかなって……」

そう言うと遥は少し儚(はかな)げに笑ってみせた。

あまりよくは知らないが、遥は私の「病気」とは比べ物にならないほど深刻な「病気」を持っているらしい。

それこそふとした発作でも死に直結するような、そう言った類(たぐ)いのものだ。

そのことは入学した当初に先生が教えてくれたのだが、本人の能天気な性格のせいか、私はあまりそれを実感していなかった。

本人は今までの経験から、少なからず自覚しているのだろう。

もしかすると入学してから今までの学校生活の中でも、私が察していないだけで様々な我慢をしていたのかも知れない。

「なるほどね。でも、やりたいんでしょ？　出し物」

「……うん。そうだね、やりたい。や、でも貴音に迷惑かけちゃうし……」

遥は照れながらもはっきりとそう言った。今の流れでなぜそこまで照れるのかは、よくわからなかったが。

「……あんたさぁ、先生がこんだけ適当なのになんであんたが我慢するの？　とりあえずやってみて、もしダメだったらその時に考えればいいじゃん」

「う～ん、そうなんだけど、やっぱり僕だけじゃ出来ないし……あんまりこういうのしたこともないし……ちゃんと出来るかわからないし……」

机の上に置いた消しゴムをコロコロと転がしながら、ゴニョゴニョ呟く遥を見ていると、なぜだか無性に腹が立ち、思わず手のひらで机を叩(たた)いてしまった。

「——あああああ!!　もうウジウジうっさいなぁ!!　とりあえず射的がやりたいんでしょ!?じゃあもうそれで決定ね!!　準備は私も手伝うから!!　わかった!?」

睨みを利かせてそう怒鳴ると、遥は思い切り怯えた表情で「はい……」と呟いた。

しかし私はそれでは収まりがつかず、先生の方に向き直り啖呵を切る。

「先生は今すぐお金を下ろして来てください！　あと標本は景品として出しますから！いいですね!?」

「えぇ!?　ちょっ、お前いくらなんでもそれはないだろ！　あれいくらしたと思っ——」

「……理事長」

「よしわかった！　お前の言う通りにしよう！　いやぁ盛り上がって来たな！」

先生は急ごしらえの清々しい笑顔でそう言った。もはや私だけでなく、遥ですら先生のクズっぷりに冷ややかな目線を投げかけていた。

——時計を見ると、時間はすでにホームルームが始まってから三十分以上経っており、一時限目も中盤を過ぎたころだった。

この学校では学園祭一週間前になったところから基本的に授業はなくなり、授業時間はそれぞれの実行委員の指揮のもと、準備作業に割り振られる。

一時限目はどのクラスもホームルームだが、二時限目からは各クラスの生徒たちが校内さまざまな教室で各準備作業を始めるだろう。

予定だと、遥と私の二人は基本自習ということになっていたが、出し物が決まった今、私たちも作業を進めなくてはいけない。

「とは言ったものの『射的』かぁ……何から準備すればいいんだろ……」

先ほど遥に「じゃあやろう！」と啖呵を切ったものの、実際問題あと一週間、さらには二人で「射的屋」の準備など出来るのだろうか。

景品の買い出しはもちろん、景品を並べる台の制作、コルク銃の準備など必要な作業をあげればキリがない。

大道具の制作は技術室や美術室も使用しなくてはならないが、事前にあった各クラスの使用予約で全て埋まっているだろう。

「あ、あの……やっぱり無理なようだったら別のやつにしない？」

「ダメ！　無理って言ったら、無理になるに決まってるでしょ！　あんたもやりたいって言ったんならなんか考えてよ！」

遥は再びビクリとし、慌てて腕を組んだかと思うと目をつぶりウンウンと考え始めた。

確かに最初はこいつのアイデアだったが、私はすでに、「皆でワイワイ馴れ合うだけのあまっちょろい連中とは違う」というところを見せつけたい気持ちで、いっぱいになっていた。

どうせやるなら中途半端なことはしたくない。常日頃からオンラインゲームで鍛え上げて来た向上心が、こんなところで燃え上がり始める。

「どう考えても大掛かりな屋台を作るのは無理だよね。先生、日曜大工とかは……」

「おう！　やったこともねえ！」

「――だと思いました。となると、私と遥の二人だけでやるしかないから……」

「お、おいおいちょっと待てって！　確かに日曜大工的なことは出来ねえがあれだぞ？　俺はプログラミングとかなら相当出来るぜ⁉」

先生は親指でビシッと自分を指差し、オタクによくあるなんともウザい「俺、他の分野じゃすげえからオーラ」を出す。

「あぁ……そうですかへぇ。じゃあ邪魔なんで恋愛シミュレーションゲームでも作っててくださ――」

相手をするのもめんどくさくなり、適当に相づちを打とうとしたところで予想だにしていなかった考えが頭の中に浮かんだ。


大道具の作れないこの状況。

景品は珍海魚の標本一つだけ。

目標は最高に面白い――『射的』。


賭けではあるが、もしかすると一週間以内に出来るかもしれない。

気づけば私は再びガタン！　と椅子を鳴らして立ち上がっていた。

「うおあ！　ちょ、ちょっとまて貴音!!　ふざけた俺が悪かった、穏便に行こう！　暴力じゃ何も解決しねえぞ!?　きっとまだ手はあるさ……！」

その勢いに驚いた先生は手を前に出し、安い死亡フラグのようなセリフを吐いた。

横の遥は考える振りをして完全に居眠りしていたのだろう、動揺したのか、ガタガタと大きい音を鳴らして椅子ごと床に倒れた。

「思いついたんです！　射的、出来るかも知れません！」

「え？　あ、おぉ射的な。でも準備にしても相当大変だぞ？　さっきも言ったが俺は本棚も作れねえからな……」

「あ、そこはもうこれっぽっちもアテにしてないです。そうじゃなくて、プログラミング、できるんですよね⁉　先生……？」

ニヤリと私が微笑（ほほえ）むと、先生はどういう意味かわかったようで、青ざめた表情をした。

「な、なんかあったの……？　貴音」

床に座り込んだまま、椅子の陰から私に話しかける遥の顔には思い切りよだれのあとが付いていたが、それにも言及しないことにした。

「ふふふ……出来るかもしれないよ、射的。あんた、絵、上手だよね……？」

「ひぃ……！」

私はニコリと微笑んだのだが、遥は脅迫をされたかのような、怯えた表情をした。なぜこの場の男たちはここまで情けないのだろうか。

しかし、情けなくとも今はいい。

……このあと存分に働いてもらうのだから。

「お、おい貴音……もしかするとお前が言ってる『射的』ってのは……」

その表情から察するに、恐らくもう先生は私が考えていることに気づいているだろう。何せこの「射的」を実現するための先生の作業量は、とてつもなく多いのだから。

「ふふふ……そうです。実際にノコギリが使えなくても『射的ゲーム』だったら作れますよね？　キャラクターとか背景は遥が描けばいいし、それなら景品も一つで済みます」

そう告げると、先生は「やっぱり……」と言わんばかりにガクンと肩を落とした。

一つのゲームを一人で作るとなれば、それは相当な作業量のはずだ。

しかし、先生はここまで散々適当なことをしていたのだ。それを差し引いて考えるなら、むしろ足りないくらいの労力だろう。

「え……？　ゲーム作るの⁉　今から⁉」

のんきな遥もこれには驚いたのか、珍しく大きな反応を示した。しかしそれは先生とは違い、ワクワクを内包した驚きだった。

「そうだよ？　遥、ゲームに出て来る絵、全部描けるんだよ？　やる気出るでしょ？」

そういうと遥はブンブンと頭を縦に振った。普段からは想像もつかないほどの明るい表情に、今までとは全く違う印象を抱く。

「結構大変だろうから頑張ってね。まぁほとんど先生がなんとかしてくれるだろうけど」

「はぁ!?　やっぱり俺!?　お前一本ゲーム作るのにどんだけ——」

「理事……」

「全力でやろう！　良いもん作ろうぜ!!」

先生はこの上ない爽やかな表情で、親指を立てた。

この『理事長』という呪文は非常に便利だ。

今後の学園生活でも、お世話になるに違いない。

「でも一つ気になるんだが『景品が一つだけでいい』ってのはどういうことだ？　流石(さすが)にクリアする人数まではこっちじゃ把握出来ねえだろ。……かと言って誰もクリア出来ないくらいのメチャクチャな難易度設定しちまったら、それこそ反感買うぞ？」

「その点はご心配なく。ゲームの形式はクリア制じゃなく、ポイント制にしてください。それと、２プレイヤー形式でお願いします」

「それは出来るが……ってまさか……」

「そうです！　私が対戦相手になって挑戦者とポイントを競います。こんな女の子が相手だったら、難易度うんぬんの話はなくなりますよね？」

先生は先ほどの青ざめた表情から一転、今度はあきれたような表情をした。先ほどまで私が先生に向けていた表情だ。いい気味だった。

「貴音が戦うの？　でも一回でも負けちゃったら、そのあと景品なくなっちゃうよね？」

「そのあとなんてないよ？　だって私負けないもん！　学園祭の最後のあたりで一回だけ負ければきっと盛り上がるし、そこら辺は調整するけどね」

　遥はそれを聞いて、思い切り不安そうな顔をした。……それはそうだ。

　ゲームなんて何が起こるかわからないし、万が一負けることもある。

　もし私が負けて、唯一の景品である「珍海魚の標本（高価）」がなくなった時、それはイベントとしての終了を意味するのだから、これは相当な賭けだ。


　ただ、私にはこいつに話していない『特技』がある。

　……いや、正確には絶対に話したくないのだが、私はそれのおかげで今回のこの賭けに確信を持っていたのだ。ただ絶対に話したくはないが——

「あぁ、遥こいつなぁ。ネットじゃ超有名人なんだよ。テレビでＣＭやってるゲームあるだろ？　あのゾンビ撃ちまくるやつ」

「あ、見たことある。オンラインゲームのやつですよね……？　確かちょっと前に大会をやってたような……」

「おぉそうだそうだ。こいつその大会の全国二位なんだよ」

　私が脳内モノローグを繰り広げている一瞬の隙に、先生からまさかのカミングアウトがなされた。

「ぎゃあああああ!!　な、な、な、なんで言うんですか!?　あ、あ、ちがうの……！」

　体感型ゾンビ殺しまくりオンラインシューティングゲーム『DEAD BULLET -1989-』。

一年ほど前のサービス開始から多くのユーザーの反響を集め、今や日本屈指のオンラインFPSに成長したそのゲームだが、私は、稼働開始後約四時間ほどでトップランカーへと上り詰めたヘヴィプレイヤーだった。

　稼働初期から独自のプレイスタイルで活躍し、今や数百人規模のファン・コミュニティまで形成されるほどに名を轟かせた私だったが、このことを知っているのは狭い交友関係のせいもあり、先生ただ一人だけだった。──先ほどまでは。

　認識の甘さ。リアルの世界に同じゲームを共有出来る仲間を求めて、何気にコアな話の出来る先生を誘い込んだことが、大きな間違いだった。

　女子高生が他の娯楽を投げ打って心酔するには、あまりにも漢気溢れるグロテスクな殺戮ゲーム。それが『DEAD BULLET -1989-』。

正直自分でも、同級生の女の子がハマっていたら結構引くレベルだ。

それがまさか唯一のクラスメイトにばれるとは……。

「貴音すごいね！　全国二位なんて！　僕ビックリしたよ！　なんで今まで黙ってたの？　ねぇ、面白いの？」

しかし私のそんな葛藤をいざ知らず、遥の反応は予想外に好意的であり、むしろもっと知りたいというような前向きなリアクションだった。

いや、これは恐らくこいつがこのゲームの本質をよく知らないからだ。内容を知ったら「うわｗ女子のくせにグロゲー厨とかこわｗｗｗ近寄らないどこｗｗｗｗｗ」とか言うに決まっている。

私が遥の無垢な瞳にたじろいでいると、先生はいきなりゲラゲラと笑い、とんでもないことを言い出した。

「よかったじゃねえか貴音、一緒にゲームやる友達探してたんだろ？　俺はちょっとあのゲームは合わなかったから、遥を誘ってやりゃあいいじゃねえか」

「はぁ!?　な、なに言ってるんですか!?　大体私だってそんなにやってるわけじゃ……」

いや、嘘だ、やっていた。昨日こそ眠気で早めに眠ったものの、基本的に帰宅する16時から翌日4時まではだいたい入り浸っている。

そして目の前でニヤニヤしている先生も、そのことはもちろん知っていた。

「へぇ～……あんだけ入り浸ってりゃやってる方だと思うがなぁ……。なんつったっけ、お前の名前確か《閃光の舞……》」

「ぎゃああああああ!!　あああああ!!　もうあれです！　理事長に言います！　もう全部!!いいんですね⁉」

「あああああ⁉　それだけはよせ!!　わかった!!　俺が悪かった!!」

ガタンガタンと机を揺らして叫び合う私と先生の姿は、端から見ればとても滑稽だろう。しかし私たち当人からしてみれば、それは命懸けの攻防戦だった。

数秒の睨み合いが続き、遥が「お、落ちつい……」と呟きかけた瞬間、この膠着状態を収めるかのように終業のベルが鳴った。

「……はぁ。と、とりあえずはお互い口を閉ざすってことで異存はねぇな」

「ええ、それが得策みたいですね……。わかってますね、もしこれ以上漏らしたら……」

「そいつはお互い様だ。お前こそ理事長の件、わかってるな……？」

「……わかりました。今回の件は私の中に留めておきます……。ですが、もうこれ以上は許しませんからね……」

「今日のところはこれくらいにしといてやる！」とでもいうような、とても生徒と教師の会話とは思えない掛け合いをもって、一時限目のホームルームは終了した。

「そんじゃあ……あ〜まぁ俺にも責任はあるわけだし、なんとか作ってみるか。……ってことで次の時間もまたここで打ち合わせだ。トイレだけ行っとけよ〜」

そう言うと先生は出席簿を手に取り、頭を掻きながら教室の外へ出て行った。一瞬だけ開いたドアの向こうからは、生徒たちの足音や、楽しげな話し声が聞こえてくる。


「ふぅ……なんとかなるのかなぁ……」

気が抜けてペタッと机に突っ伏すと、横に座っている遥と目が合った。

「……なんだか無茶言っちゃったけど、貴音のおかげですごく楽しくなりそうだよ……！きっと何とかなるよ！　僕も頑張る！」

そう言って小さくガッツポーズをする遥の笑顔を見ていると、なぜだか急に、頬が熱くなったような気がした……。きっと、オンラインゲームのことがバレて、恥ずかしかったからだろう。


——私も少し笑った。

　そして、自分がいつの間にやら『学園祭頑張ろう系女子』になってしまっていることに気がつく。きっとこの笑顔も、苦笑い以外の何ものでもない。

「……でも案外、つまらなくもないな」

　私は小さくそう呟くと、贅沢（ぜいたく）なほど楽しげな学園祭までの準備プランを、頭の中に想い描くのだった。

ヘッドフォンアクターⅡ

今までの人生の中で、こんなに激しく風景が躍ったことはあるだろうか。
一歩足を踏み込むたびに信号機は跳ね、建物はグラグラと揺らめく。
次々に新しい空気が入り込み、吐き出すたびに私の体は風を切った。

交差点は人でごった返している。
すでに信号も標識もその意味をなしておらず、ルールを失った車道には、色とりどりの車が乱雑に乗り捨てられていた。

何かを叫ぶ者。
誰かを殴る者。

皆一様に青ざめた表情をして、世界の終わりを嘆いていた。
一瞬聞こえた赤ん坊の泣き声に、足が止まりそうになる。

『ダメ。ここはもうあと十二分で終わってしまうから、もう振り向いちゃいけない……。さぁ、次の信号機を左に進んで』

ヘッドフォンからの声は、外界と対照的に静かに、ただ淡々と私の進路を示し続けた。言われるがまま、人の波を縫うように駆け抜けて行く。

今まで全速力で走ったことが、一体何回あっただろう。

小さい頃から私は過保護に育てられ、外で駆け回るなんて出来なかった。

それは、私が理由もなく、予測も出来ないタイミングで意識を失うという病気を持っていたからだ。

病気は頻発するようなものではなかった。

ただ、私はいつも倒れる瞬間を覚えていない。

覚えているのは、目を覚ました後のことだけ。

まるで長い夢を見ていたかのように、倒れる以前の記憶が擦(かす)れてしまうのだ。

人ごみを抜け、狭い路地を抜け、大きな通りに飛び出した。

『ここは右に曲がって！　あと一分しかない……！』

ヘッドフォンの中の声が、徐々に焦りを帯び始める。

痛みだした足に構うことなく、勢い良く右折した瞬間、背後で何か鉄のかたまりが勢いよく砕けたような音が聞こえた。

続けて上がった悲鳴、振り向きたくなる衝動が抑えられなくなる。

『……早く！　会わなくちゃいけない人がいるでしょう⁉　だから……』

息があがり、肺が焼き切れそうになる感覚と共に、意識が朦朧(もうろう)とし始める。

また、気を失ってしまうのだろうか。

そう言えば、最後に意識を失ったのは、いつだったんだろう。

……私は何も思い出すことが出来なかった。

どうしてこんなことになったのかも

誰の元に向かっているのかも……。

それでも私は、とても大事なものがこの先にあるような気がしていた。

その思いが、ただ足を前へと押し出して行く。

——前を向くと、目指していたその丘がもう目前まで迫っていた。

夕景イエスタデイII

「すげえ……あの子もう三七人抜きだぜ……」

「いや、噂によるとあの子『DEAD BULLET -1989-』の全国二位の凄腕らしい」

「……!! それって《閃光の舞姫・エネ》のことか!? どうりで動きが良すぎると思った。おい、見ろよまたハイスコア更新だ！ ……でもなんであの子泣いてるんだ？」

理科準備室は、恐らく開校して以来一番であろう盛り上がりを見せていた。

私は流れる涙を拭うことも出来ず、必死の思いでコントローラーを握っている。

いくら辛いことがあろうと、一度コントローラーを握った以上負けるわけにはいかない。

それは常日頃からの習慣と、この性格のせいであって、もう自分ではどうにも出来ないことなのかもしれない。

大型モニターには銃を握った手元だけのグラフィックが表示され、私のコントローラーの動きに合わせて、右へ、左へと照準をズラしてはターゲットを撃ち抜いていく。

撃たれる度に「ギャアアア！」と悲鳴を上げて飛び散っていくモンスターは、熊や兎（うさぎ）を模したファンシーなキャラクターにもかかわらず、肉片や血しぶき等へのこだわりから、とてつもないグロテスクなシーンを演出していた。

「やったね貴音！　また勝った‼　いや、今は……エネって言った方がいいのかな⁉」

私側の対戦席の横に、まるでリングセコンドのようにしゃがんでいる遥は目を輝かせ、喜々としてそう話しかけてくる。

「う、ぇ……うる……さいぃ……あほぉ……」

すでにまともに喋れないほど泣きじゃくる私だが、周りのオーディエンスは気にせずに勝利への惜しみない拍手を浴びせてくる。

対戦していたミリタリー風の服装の一般客も「恐れ入りました、まさかこんなところで《閃光の舞姫・エネ様》に手合わせ願えるとはっ……‼　光栄であります‼」と熱い敬礼を送ってくる。

入り口付近では、「俺が手合わせを……」「いやいや私が……」と屈強な男たちによって次の対戦者を決める争いが勃発するという始末。

その異様な光景からドンドンと集まり出した生徒や、噂を聞きつけて駆け付けたゲームプレイヤーたちで、もはや地獄絵図と化していた。

「どうしてこんなことにぃぃ……」

視界が滲み、コントローラーの上にポタポタと涙が落ちた。

＊

学園祭当日。事件の発端は数時間ほど前にさかのぼる。

理科準備室の中央からはいつもの勉強机や教卓が撤去され、その代わりに射的ゲームのブースがドンと構えられていた。

とは言っても長テーブルの上にディスプレイを置き、蛍光塗料などで絵が描かれた布を使って長テーブルを覆っただけだ。しかし窓に段ボールを貼り付け光を遮断することで、部屋の光はディスプレイと蛍光塗料の放つ淡い光だけになる。

それは遥の画力のおかげもあるのだろうが、到底急ごしらえには見えない出来だった。

「い、いよいよだね……なんか夢みたいだ、本当に完成するなんて……！」

「うん、結構良い出来になったじゃん……！　頑張ったね、遥！　じゃあ、本番前にもうちょっとやらせてよ」

前日までの過酷なゲーム制作で珍しく目の下にクマを作った遥と、対照的に十分な睡眠（十五時間）をとり珍しく目の下にクマも出来なかった私は、いよいよ始まる本番に向けての最終調整に努めていた。

遥が長テーブルの下に置かれたパソコン本体の電源を付けると、ディスプレイに先生と遥による渾身（こんしん）のゲームのタイトル画面が表示される。

次々に現れるぬいぐるみのようなモンスターを撃ち抜いていくこのゲームは、遥により『ヘッドフォンアクター』と名付けられた。

タイトルの意味を最初は理解出来なかったが、ゲーム終盤に出て来る「ぬいぐるみたちを操る親玉」の姿が明らかに私そっくりであったため、「ヘッドフォンを着けた私に操られているぬいぐるみ（演者）を倒せ」という意味だということを、相当なイラだちと共に理解した。

もちろんその直後、遥を殴り飛ばしたのは言うまでもない。

「……ホント悪趣味だよね、このゲーム。なんで自分と戦わなきゃいけないわけ？」

「いや、対戦者の人って貴音を倒さなきゃいけないわけでしょ？　だから敵は貴音っぽくした方がいいよな〜って思って……。まぁ、貴音もプレイするってことはすっかり忘れてたんだけど」

「……なんであんたってそういうとこ抜けてるかなぁ……でもまぁカラーリング変えたし、もう私には見えないと思うけど」

ラスボスである「貴音2号（先生命名）」は、当初黒髪の私そっくりな風貌だったが、無理矢理カラーリングを変えさせ、今は真っ青な髪の2P仕様になっていた。

「まぁこのデザインに関しては百歩譲って許すとしても、なんでこれこんなにグロテスクなの？　この要素必要なくない？」

タイトル画面からスタートをクリックし、ゲームをスタートするとモノローグが流れる。ゲームの舞台は小さな街らしく、これも遥の計らいなのか私たちの暮らしているこの街に非常に似た作りになっていた。

そこを銃を片手に進んでいくと、大小様々な可愛いぬいぐるみたちが次々と必死に襲いかかって来る。それを一体一体撃ち抜いていくのだが、その度に画面は「ビシャッ！」と血しぶきに染まり、プレイしている側はとんでもない罪悪感に襲われるのだった。

「あ、これはあれだよ、貴音が前に言ってたゲームを参考にしたんだ！　ああいう感じが貴音は好きなのかなって思って」

それを聞いた途端手元が狂い、猿のぬいぐるみに噛み付かれたことでゲームオーバーになってしまった。

画面上部から血がダラダラと流れ、続けてゲームオーバーの文字が表示される。

「あ、あんたもしかして先生になんか聞いた⁉」

連日の徹夜作業の末、ゲームを完成させた先生は「理事長に、アピール、しろよ……」という言葉を残してベッドに倒れ込んだらしい。

遥はこの一週間先生の家に泊まり込んでゲームを作っていたらしいので、あの人が遥にいろいろと余計なことを吹き込んだ可能性は十分にあり得る。

「いやいや、先生からは何も聞いてないよ？　貴音がこの前話してたのを覚えてたから、自分で調べたんだ」

「な、なんだそれならよかった……いや、にしてもこのエフェクトは明らかにミスマッチだと思うよ？　爽快感全くないもん」

再び最初からゲームを始めるが、やはり撃つたびにぬいぐるみの肉片が飛び散るのは、どう考えても異様だ。まだゾンビが襲って来てくれた方が、可愛げがあるように思える。

「あはは、ごめん。でもせっかくだから、貴音の好きなものにしてあげたくて……」

不意を突かれた発言にまたも手元が狂い、今度は豚のぬいぐるみに突進され引っ掻かれてゲームオーバーになった。

「べ、別にグロいのが好きなわけじゃないんだけど……！」

再度ゲームを始めながら、あえて遥の方を見ずに呟いた。

「え⁉　わ、ごめんごめん、なんか血とか出るのが好きなんだと思っちゃって……。でもよく考えたら、貴音がそんなの好きなわけないよね」

「はぁ……あんた相当酷い勘違いしてたのね。いい？　ゲームの良さってのは爽快感なの。主人公みたいにかっこ良く、世界を駆け回れたらいいな〜って憧れるからやるもんなの」

少なくとも私がゲームに求めている魅力がそれだ。

日常生活がどうであれ、ゲームの世界では腕さえあれば誰もが等しくヒーローになれる。

それが私がゲーム好きたる、一番の理由だった。

「は〜なるほどね。僕、普段そういうの全然やらないからわからなかったよ。あ、じゃあもしかして、このゲーム、あんまり……面白くない？」

遥が恐る恐る聞いてきた。それに対して私は画面から目を離すこともなく、飛び出して来た猫のぬいぐるみの眉間(みけん)に銃弾を撃ち込んでから「まぁ、結構好きだけど」と答える。

隣からは、ホッと安堵(あんど)のため息が聞こえてきた。

昨日散々このゲームで遊んだこともあって、十数分ほどのプレイで、だいぶ良い調子が出せるようになっていた。

遥のちゃちゃ入れでゲームオーバーになったものの、それ以外では全くミスを出すことはなかった。これなら対人戦でも確実に負けることはないだろう。

制作者である先生の叩き出した「45000点」というベスト記録を、最初のプレイで三倍以上の差をつけて塗り替えたことも、自信の一つになっていた。

「これならきっと大丈夫だね！　貴音にだったら誰が挑んでも勝てないよ！」

「当然でしょ？　腕だけには自信があるんだから……ってもうこんな時間⁉　あと五分で学園祭始まっちゃう！　遥、他の準備って大丈夫⁉」

「あ、うん、だ、大丈夫！　昨日いつでも始められるように準備しておいたから。あぁ、でも、緊張してきた……」

先ほどまではいつものようにのんびりしていた遥だったが、いざ学園祭開催を目の前に慌て始めたのか、座っていた椅子から立ち上がり、オロオロと教室の中を徘徊し始めた。

「な、なに緊張してんの！　私、絶対負けないし、全然大丈夫だって！」

「う、うんそれはそうなんだけど、皆楽しんでくれるかな……全然面白くないとか言われちゃったらどうしよう……」

私も、本番直前の緊張を感じていた。そういえば先日行われた大会に行った時も、似たような感覚を味わったことを思い出す。

しかし今回は「自分が好成績を収める」のではなく「お客さんをいかに楽しませるか」というのが重要な課題だ。

子供からお年寄りまで……まぁこのゲーム内容なので、ある程度の年齢制限はあるが、それでも出来る限り分け隔てなく楽しんでもらわなくてはいけない。

先生と遥が作り上げたこのゲームは、バランスやシステムはもちろんまだまだの部分があるが、正直、遊び心のある、とても面白いものになっていると思う。

私の仕事はこの魅力が皆に伝わるように、なるべく笑顔で、楽しんでもらえるプレイに努めることだ。

「大丈夫だよ。頑張って作ったものなんだから、皆、楽しんでくれるよ！」

私が不安そうにウロウロする遥にそう言うと、時計の横に設置されたスピーカーから『間もなく学園祭を開催いたします。各クラス実行委員会の指示に従い、楽しいイベントにしましょう』というアナウンスが流れた。

それを聞いた途端、私の心臓が緊張で高鳴る。

遥に至ってはしゃがみ込み「大丈夫大丈夫……」と呪文を唱え始めた。

「ちょっと、もう始まるよ！　お客さん来ちゃうから、ええと……教室の前に立って案内して！　興味ありそうな人がいたらちゃんと説明して連れてくるんだよ⁉　いい⁉」

「あ、ああ、うん、うん！　……わ、わかった……ダイジョウブダイジョウブ……」

そう言うと遥はむくりと立ち上がり、ふらふらした足取りでドアの方に向かう。

そしてそのまま一度「ガン！」とドアにぶつかり、「あわわ……」と声を漏らしながら部屋の外へと出て行った。


「……あいつ本当に大丈夫かな」


先ほどアナウンスが流れたスピーカーからは学園祭用のＢＧＭが流れ始めて、いよいよ本番が始まったことを知らせていた。

私は出し物の演出上、理科準備室のスピーカーのボリュームをオフにし、電気を消し、遥が連れてくるであろう最初の挑戦者を待ち構えることにする。

電気を消したことで部屋の中は、ディスプレイと蛍光塗料の放つ淡い光で包まれた。

長テーブルに二つ並べられた椅子のうち、ディスプレイに向かって右側の椅子に腰掛け、表示され続けるタイトル画面をボーッと眺める。

『ヘッドフォンアクター』と表示された画面の中には、タイトルロゴの奥に灰色で構成された街並が連なっており、夕暮れ時の世界設定なのか、画面上部のビル群の隙間には濃い、紫色の空が広がっていた。

「それにしても悪趣味なゲームだよね……。先生も遥もノリノリで作ったんだろうけど、これじゃ女の子とか怖がっちゃうじゃん」

しかし遥のことだ、そんなことは気にもせずに、興味がありそうな女の子でもいたら、私の言いつけを守ってホイホイ中へと案内するだろう。

――いや、これはちょっとマズいかもしれない。仮に案内された女の子がかなり臆病な子だったりしたらどうだ。

ドアを開けて一番に飛び込んでくるのは、陰湿な理科実験室に設置された、残虐極まりないシューティングゲーム。

そして対戦相手は、暗い部屋の中に佇む、陰湿で目つきの悪い私……。いや、自分自身について考えるのは止めよう。正直へこむし改善策もない。泣いてしまう。

ただ私を抜きにしても、やはり女の子や子供には少々キツい内容のゲームであろう。

遥にそういった部分の説明をしっかりするように、釘を刺しておくべきかもしれない。

居ても立っても居られず椅子から立ち上がった瞬間、部屋のドアが開いた。

数分ぶりとはいえ、いきなり入り込んだ陽光に目が眩み、お客さんの姿はシルエットになって見えなかった。私は少々慌てたが、身長的にどうやら大人の男性のようだ。

黙っていては失礼なので、考えていた説明を口に出す。

「あ、い、いらっしゃいませ！　えぇっと、このクラスでは射的ゲームをやってます！　私と対戦して勝つことが出来ましたら、豪華景品を——」

「ふん。どんなやつかと思えば女子じゃねえか。ドアの前に立ってた男の方が、よっぽど倒しがいがありそうなもんだがな」

全力の笑みを顔に貼り付け、明るくかわいらしく説明をしていた私にその男はピシャリとそう言った。

あまりにも予想外なその言葉に、一瞬何が起きたかわからなくなり固まってしまうが、徐々にこの男が好戦的な雰囲気を醸し出していることに気がついた。

「え……あ、その……」

最悪のファーストコンタクトのせいで、そもそも人付き合いに慣れていない私の心臓は一気に高鳴り、自然と手が震え出す。

すでに考えていた営業トークは真っ白にかき消され、それでも上手(うま)く喋ろうとする口が、奇妙な音を出した。

「いやぁ、嬢ちゃん災難だったね。知り合いの学園祭だっていうから来てみたら、こんな面白そうな出し物あるんだもの。こいつ、すげえシューティングゲーム上手いからさぁ、景品全部持ってかれちゃうね？」

徐々に光に慣れて来た目が、最初に入って来た男の後ろに立っているヘラヘラした男の姿を映し出した。どうやらこいつらは二人組らしい。

「あ、あの、私も精一杯お相手しますので……」

背中に汗がダラダラと流れて行くのを感じながら、それでも平静を装って、私は笑顔でそう言った。

話しぶりからすでにこの二人が陰湿な客だということは明らかだったが、それでも最初のお客さんには違いがない。

大方面白半分で、学園祭の出し物にちゃちゃを入れるのが目的なのだろう。腕が立つと言われていた男はサングラスをかけていて表情が読めないが、後ろの男からはそういったよこしまな雰囲気が感じ取れた。

「まぁいい。自作ゲームなんて下らないもんだろうし、所詮(しょせん)はガキのお遊び。最初に景品がなくなっちまうのは可哀想(かわいそう)だと思うが、これも社会勉強だと思って諦めな」

男はそう言うと私の横をすり抜け、挑戦者席へ勢いよく座った。

「いやぁ、残念だね。アイツ手加減とかしないからさ。お嬢ちゃん知らないかもしれないけど、『DEAD BULLET -1989-』っていうゲームの全国大会で、準決勝まで行ったことがあるんだぜ？　他にも散々大会出てるみたいだから、多分お嬢ちゃんじゃ手も足も——」

そこまで言ったところで、そいつはペラペラと五月蠅(うるさ)い口を止め「ひっ」と小さく悲鳴を上げた。

それは私が営業スマイルを止め睨みを利かせたせいかもしれないし、あまりにペラペラ喋ったものだから、舌を噛んだのかもしれない。

「た、貴音ぇ……」

ふと聞きなじみのある情けない声が聞こえた。ドアの向こうから涙目でこちらを覗(のぞ)いていた遥は、恐らくこの男たちに散々からかわれたのだろう、怯えきった表情をしていた。

私は手ぶりで「ドアを閉めて」という合図を出す。遥は一瞬躊躇(ちゅうちょ)したが、ひねり出したような「頑張って……！」という言葉を残して、ドアをゆっくりと閉めた。

それを確認し、私は再び暗くなった教室内を、ブースがあるところへと歩き出した。

仏頂面の男の座った席の隣にある自分用の椅子に腰をかけ、タイトル画面が表示されるディスプレイに向き直ったところで、もう一度私は説明を始めた。

「では、最後に確認します。これはポイント制の射撃ゲーム。どちらが敵を多く倒したかで勝敗を決めます。難易度が設定出来ますが、どうしますか？」

「最高難易度に決まってるだろ」

「そうですか。わかりました。では」

タイトル画面でセレクトボタンを押し、難易度を「エクストラ」に設定する。

この難易度は先生から、「満点叩き出せたら、そいつは化け物だ」と言わしめるほどの難しさだった。

「おいおい、ちょっとお嬢ちゃん、わかってるとは思うがイカサマはなしだぜ？」

いつの間にか仏頂面の男の後ろに立っていたチャラ男が、先ほどよりも少し凄むような口調で話しかけて来た。

確かにそれは気になるところだろう。私たちが自分側のステージだけ難易度を変えたり、さらにはポイントでイカサマが出来る仕様にすることだって、やろうと思えば可能だ。

「もちろんイカサマなんてしません。なんなら私と場所を入れ替えますか？　ポイント制なのでどちらの場所で私に勝っても文句は言いませんよ」

私がそう言うと、仏頂面の男は「このままで構わんからさっさと始めろ」とだけ呟き、サングラスを外した。

「……では始めます。よろしくお願いします」

一度強くコントローラーを握りしめ、力を緩め……再び握り直す。絶対の確信の持てるその感触を確認し、私はゲームのスタートボタンをクリックした。

敵モンスターが溢れ返り、一瞬で画面上を埋め尽くした。対戦モードの制限時間は二分。その間に多くの敵を倒した方が勝者となる。

シングルモードとの違いは、敵の攻撃がヒットしてもゲームオーバーにはならず、そのかわり一定時間膠着状態になるという点と、ボーナスアイテムを破壊することが出来れば、対戦相手の視界に血しぶきの妨害エフェクトを与えられるという二点だけだ。

それ以外は何も変わらない「出て来るモンスターを倒すだけ」という至ってシンプルなゲームシステムだが、それ故にプレイヤーの力量が顕著にあらわれる仕様となっていた。

そう、このゲームは決して下らなくなどない。

私はこのゲームを見下したこの男を、完膚無きまでに倒さなくてはいけなかった。

ゲーム開始から一分三十秒。私の対戦者である仏頂面の男は、すでに、どう足掻いても取り戻せないほどの点差を私につけられていた。

画面から目を離せないせいで表情は確認出来ないが、あれだけ啖呵を切っておいてこの体たらくだ。おおよその想像はつく。

私は至って冷静に目の前に現れる敵を把握し、しかし、相手への妨害アイテムを一つも壊すことなく、ただただ敵だけを撃ち続けた。

ゲーム終了のブザーが鳴り、結果発表画面が表示された。

しかし、仏頂面の男はすでに大差で負けたことがわかっているのか、コントローラーを呆然と見つめている。後ろに立っていた男も、ただただ口を開け唖然としていた。

当然だ。あれだけの量の敵を一寸の狂いもなく撃ち続けることは、ゲームの仕様云々ではなく、単純に腕の問題だ。

あえて途中コントローラーから手を放し、その間敵に攻撃されるというパフォーマンスまでしたのだから、ケチのつけようがあるはずもない。

「ゲーム終了です、ありがとうございました。連続の挑戦は出来ない決まりになっているので、もう一度挑戦したい場合は三十分後以降にお越しください」

私が笑顔でそう言い放つも、仏頂面の男はいまだに「馬鹿な……この俺が……」という、テンプレート過ぎる敗者発言を漏らしていた。

しかし「あの……お引き取りを……」と私が退室を促そうとすると途端に立ち上がり、私の方に向かい叫び声をあげた。

「あ、あんた一体何者なんだ⁉　こんな凄腕プレイヤーなんて、今まで見たこともねえ！　いっ、一体……‼」

ここまで月並みな発言をされると、正直もうめんどくさくなってくる。

私は「沢山練習したので……」と適当に誤魔化してさっさと引き上げて貰おうとした。

だが、画面に表示される明るすぎる結果発表画面に照らされた私の顔を見て、その男が後ずさりをした瞬間、私は大きなミスを犯していたことに気がついた。

先ほどチャラ男は仏頂面の男のことを「『DEAD BULLET -1989-』の大会で準決勝……」などと話していた。

全国区でその成績はまぁ大したものであり、恐らくかなりやり込んでいるプレイヤーであるということは間違いなかった。

プレイを見ていてもそこそこ腕は立つようだったし、それは嘘ではないのだろう。いや、しかし今は嘘であって欲しかった。

「あ、あなたは……《閃光の舞姫・エネ》さん⁉」

――最悪の展開だった。準決勝、さらにこの地区からの出場者となると、当然、大会の会場で顔を合わせたことがあるはずだ。

しかも当日は用意していたマスクをなくしてしまい、私は完全な素顔のままでプレイをしていた。

その準決勝で私は、後に《舞姫伝説》と呼ばれるほどの好成績を叩き出し、ぶっちぎりの一位で通過したこともあって、異常なまでに目立っていたのだ。

幸い準決勝はテレビ中継などがなかったので安心していたが、まさか、こんなところでこんな事態になるとは……。

先ほどまでイライラしていたこともあってかなり気丈に、相当カッコつけて振る舞っていたが、この急展開で私の頭は再び真っ白になってしまった。

「え？　な、なにこの子有名な子⁉」

「お前有名なんてもんじゃないぞ……！　数々の大会で伝説と呼ばれるスコアを叩き出し、彼女を筆頭にしたグループ《閃光の輪舞―エターナルロンド―》は、団体戦参加チームの中でもトップ３に入るほどの――」

「ぎゃあああ‼　人違いです‼　ホント勘弁してください‼　いやもうホントお引き取りくださいぃぃいい‼」

私の隠したい秘密ダントツ一位の情報をペラペラと喋られたことで、理性の限界は簡単に吹っ飛んでしまった。

「ひいぃ‼　し、しかし先ほどのプレイスタイルは間違いなくエネさんの得意とされる《夢幻円舞―ホーリィナイトメアー―》では……‼」

内臓が締め上げられる感覚と共に、顔からはマグマが噴き出しそうになっていた。

今すぐにでもこいつら二人をドラム缶に入れて、山奥に埋めてやりたい。

「ひ、人違いですから‼　あ、あ、早く出て行ってください‼　お願いだからあああ‼」

大騒ぎしたせいか、ドアが勢いよく開き、遥が心配そうな顔で部屋に飛び込んで来た。

「た、貴音！　だいじょう――！」

「ギャアアアア‼　あんたも出てけ‼　もういいから早く全員外に出てー‼」

私がドアを指差し怒鳴ると、遥を含めた三人は「は、はい！」と返事をしてバタバタと外に飛び出していった。


私は自分の座っていた椅子に再び腰を下ろし、がっくりと肩を落とした。

これはとんでもない誤算だ。まさかこんな形で私の存在がバレることになるとは……。

あの仏頂面の男、もしかすると後で「先ほどは無礼な振る舞い、大変失礼いたしました。お手合わせ願えて光栄です……」などとメッセージを送って来たりするのではなかろうか。

いや、やりかねない。もう数日はログインしないほうが賢明かもしれない。

――それより遥だ。まさか今の話を聞いてたということはないだろうが、もし聞かれていたとしたら……そう考えると吐き気がこみ上げて来た。

自分でも正直恥ずかしいと自覚している、テンションで付けてしまったアカウント名や、変なテンションで作ってしまった「意味不明な当て字サークル」。

さらには、こっそり周りに呼ばせ始めたプレイスタイル名までがバレたとなると——。

「アカ消して死ぬしかない……」

ボロボロと恥辱の涙がこぼれ落ちた。さすがの遥でも、普段散々馬鹿にして扱って来た私がここまで中二病をこじらせていると知ったら、恐らくどん引きするだろう。

今までの友人関係はもろくも崩れ去るだろうし、リアルにちょっと距離を置かれた挙句「あ、榎本さん、オハヨウゴザイマス……」とか言われるに決まってる。

もうダメだ。最悪だ。だいたいなんでこうタイミングよく大会参加者みたいなガチ勢がこの学校に来ているのか。あまりにも運が悪すぎる。

とりあえず、もし遥がさっきの話を聞いていた場合に備えて、出来る限りのいいわけを考えておかねばならない。

しかし、たまたま耳に入ったくらいでは恐らく内容や名詞までは理解出来ないだろう。

いや、きっとそうだ。

そうに違いない。

大丈夫大丈夫。

「貴音、大丈夫？」

「うん、大丈夫大丈夫。ってうわわあああああ‼　あ、あんたいつからそこに⁉」

……あまりにも自分の中での葛藤に集中していたせいか、いつの間にか遥が私の真横に立っていたことに全く気づくことが出来なかった。

「え？　いつからって……『アカ消して死ぬしかない』のあたりからだけど」

顔が一瞬にして高熱を帯びるのがわかった。独り言まで聞かれてしまっていたのだ。

しかもアカウントの心配をしているという何とも恥ずかしい内容……。

「ち、違うの！　アカウントって言うのはほら、よくあるでしょ？　友達とチャットとか出来るやつで……！」

何が違うのだろう。遥は別に何も聞いていないのに、俯いたまま必死に弁解をする私は明らかに不審だった。いっそのこともう、誰か私を山に埋めてくれと、心底思う。

しかし表情が気になってしまい恐る恐る顔を上げると、遥はなぜか瞳にメラメラと燃えるような炎を宿していた。

「いやぁ、貴音すごいよ！　さっきのお客さん、最初はすごい怖い人だと思ったんだけど、貴音とゲームやったあと僕にも丁寧に挨拶をして帰っていったんだ！　ゲームもすっごい楽しかったって！　これはきっとあれだよね、試合が終わってお互い認め合ったってことだよね！」

遥はいきなり熱く語り出した。

先ほどの怯えた口調とは打って変わり、スポーツマンシップに目覚めたと言わんばかりの勇ましい口調だった。

しかしそんな遥の変化はどうでもよく、私は自分自身のことを言及されなかったことで、命が助かったような安堵感を抱いていた。

やはり遥は聞いていなかったのだ。考えてみればこいつがそんな聞き耳を立てるようなことをする筈もない。いらぬ心配だったようだ。

「へぇ……あの人たちそんなこと言ってたんだ。じゃあこれに懲りて、もう滅多なことはしなくなるでしょ。まぁ、私の手にかかればこれぐらいは楽勝ってことだよ！」

「うん！　なんか不安だったけど、すごい楽しいね！　貴音のおかげだよ！」

そうだ。確かにイレギュラーがあったものの、まぁ結果としては最初のお客さんを無事楽しませることが出来たのだ。

さらに、あのレベルのお客さんでも余裕で勝てたということは、恐らく全国一位の猛者でも来ない限り、景品を失うということはないだろう。

結果だけ見れば上々の滑り出し。すでにあの二人は帰ったというのなら、もう不安の種はなくなった筈だ。

理科準備室の立地的にも、外の出店に比べてそうそう混むような場所でもないだろうし、少し気を抜いてお客さんを待つことにしてもいいかもしれない。

度重なる緊張ですっかり喉が渇いていた私は、勝利の美酒を味わうかのように机の下に置いておいたスポーツドリンクを口に流し込んだ。


「貴音、すごいや……！　それにしてもかっこいいね！　《閃光の舞姫・エネ》って!!　《夢幻円舞ーホーリィナイトメアー》って技、僕も見せてもらいたいなぁ!!」


口の中のスポーツドリンクは胃に流し込まれることなく、空中に飛び散っていった。

口に残された分が見事に気管に入り込み、私は激しくむせ込んだ。

「うわあああ!!　いきなりなにやってんの貴音!!　だ、大丈夫!?」

遥は背中をさすってくれるが、できればもうこの場から消えて欲しかった。

スカートはこぼれたスポーツドリンクでびしょ濡れになり、あまりに激しくむせすぎて、思考はドンドン薄れていく。

むしろ、このまま死んでしまいたい。

「うぅ……はぁ、はぁ……あ、あんたそれなんで、それ……！」

なんとか息を整え、口を手の甲で拭いながらも質問する。いや、もう聞いても遅いかもしれない。なにせこいつは先ほど一字一句間違えずに私のハンドルネームと必殺技（）の名前を言っていたのだ。

「あ、さっきのお客さんがね、すごい興奮して貴音のこと話してたんだよ。なんか僕も色々聞けて嬉しかった！」

「あ、ああ、あああぁ……」

こぼしたスポーツドリンクを拭くことも出来ず、うめき声を上げてただただだうなだれるしかなかった。終わったのだ。

さらばスクールライフ。学園祭はそこそこ楽しかったが、正直もう忘れ去りたい記憶になるだろう。

「え、え、なんでそんな落ち込んでるの？　だってすごいよ⁉　沢山ファンもいるくらい有名人なんでしょ⁉　なんかいきなり遠くの人になっちゃったみたいだよ～」

遥は再び私の背中をさすってくれるが、「遠い人」という言葉が、容赦なくグサグサと心に刺さっていた。

そうだ。常識的に考えて普通の女の子とはかなりかけ離れている。普通に買い物が趣味とかならまだいい。それこそ部活が趣味というなら活発で素敵な女の子だろう。

しかしゾンビを殺しまくるゲームのヘヴィユーザーの女の子のどこに魅力があるのか、私にはさっぱりわからない。

遥はこの立ち位置を間違って理解しているからこんな適当なことを言えるのだ。きっと、私のいつもの生活を知れば知るほど、引くことだろう。

それこそ友達として接してくれなくなるかも知れない、そう考えると単純に怖かった。

「むぅ……貴音がなんでそんなに心配してるのか知らないけど、僕、別に貴音がどんなに変わってても嫌いになったりしないよ？　だからそんなに落ち込んだりしないでよ。あ、そうだ！　今度僕にも教えて？　一緒にやりたい！　……って聞いてる？」

遥は背中をさすりながらそう言った。

こいつは自覚しているのかいないのか、こういう恥ずかしいことを、恥ずかしげもなく言うから困る。恐らくこいつは誰にでもこうなのだろう。裏表がないというか、要は純粋というか、単純なのだ。

しかし、だからこそ「私を嫌わないでいてくれる」という言葉はとても安心感があった。

そう考えると、私も相当単純だ。

　恥ずかしさなのか嬉しさなのか、なんだかよくわからない涙が出てきそうになり、遥に応えることも、振り向くことも出来ずにいた。

「あの～すみません！　一回やってみたいんですけど～」

　突如、ドアの向こうからお客さんらしき声が聞こえた。そうだ、まだ学園祭は始まったばかりだ。ボーッとしている場合ではないのだ。

　慌てて涙を拭い、出迎えようとドアの方に向かったところで、スカートがびしょ濡れになっていることに気がついた。

「う……あ……」

　陸上のスタンディングスタートのような体勢で固まる私の横を、遥が駆け足で通り過ぎ、ドアを開けて出て行った。

　基本的には何かとズレている筈なのに、こういう時だけ意外と気の利くやつだ。

　私は棚の上に置いてあったティッシュをバサバサと取り出すと、スカートと床を急いで拭いた。

　口に含んでいた分だけなので大した量でもなく、スポーツドリンクは一瞬で拭き終えた。まとめたティッシュをボール状にし、教室の奥にあるゴミ箱へ叩き込んでから、何事もなかったかのようにドアの方へ向かう。

少しだけドアを開け、遥にもう大丈夫であることを伝えようと顔を出すと、ドアの前に先ほどの声の主と思われる中学二年生くらいの男の子が立っていた。

「あ、もう大丈夫？　この子挑戦したいみたいだから、次も熱い対戦、よろしくね！」

そう言う遥の目は、先ほどのように炎が燃え上がっていた。別にスポーツ競技ではないのだが、一つのゲームを共に楽しみ、お互いに高みを目指すという点においては、確かにスポーツマン精神のようなものは存在する。

「こいつ意外とわかってるじゃないか」と内心嬉しくなり、私も次の対戦に向けての闘志を燃やす。

「あ、お姉さんが対戦する人？　よろしくお願いします」

挑戦者である黒いパーカーを着た茶髪の少年は、清々しさの中にどこか裏のあるような笑顔を見せて、ペコリと頭を下げた。

「あ、はいっ、こちらこそよろしくお願いします！　じゃあルールの説明をするので中へどうぞ！」

ドアを大きく開けると、少年は「かっこいい〜！」と感想を漏らし中へと入った。

「じゃ、じゃあ頑張って来るね」

私は相変わらずメラメラと炎を燃やす遥にそう言い、ドアを閉めた。

「ええと、じゃあルール説明をします！　これから私と、あの真ん中にあるゲームで対戦してもらいます。敵を沢山倒してポイントを多くとった方の勝ちです！　簡単でしょ？」

先ほどは不発に終わった必死の笑顔で、お姉さんらしく説明をする。今回のお客さんはいたって普通なようだ。いや、最初の人が異質すぎたこともあって、そう思えるだけかもしれない……。

「へぇ～面白そう！　あの人はいないみたいだけど……どうする？　キドやってみる？」

「ね、そうでしょ？　……ん？　キド？　ってひぃっ‼」

私と向かい合いニコニコと説明を聞いていた少年が、突如自分の横の空間に話し掛けた。一瞬何をしているのかわからなかったが、少年の話し掛けている先に目をやった瞬間、とんでもない光景が飛び込んで来た。

先ほどまで、確かに目の前には少年一人しかいなかった。

しかし、今そこにはフードを被（かぶ）った、少年と同じ位の背丈の子が立っている。

暗くて表情はあまり見えないが、「うん」と呟いたその声は、確かに少女のものだった。

「あ、ど、どどういう……」

私は驚きのあまり腰が抜けそうになった。先ほど廊下で話していた時にも、教室の中に案内した時にも、こんな少女はいなかった筈だ。

ドアを開けた一瞬しかこの部屋に入る隙などない。それを考えると、少年と入って来たことに間違いはないのだが……私には、突然この少女が現れたようにしか見えなかった。

「お姉さん大丈夫？　あ、この子ならさっきからずっといたよ。ちょっと存在感が薄い子だから気づかれないことが多くて……って痛い‼」

存在感が薄いと言われたことに腹を立てたのか、少女が少年の脇腹をドンと殴った。

しかし存在感が薄いと言っても、本当にこれほど気づかないものだろうか。少なくとも今までの人生でこんな違和感を覚えたことはなかった。

――もしかして幽霊の類いでは……という考えが頭をよぎる。が、しかしそっちの方がよっぽど非現実的だ。幽霊だの思念体だの超常現象だのを全く信用していない部類の私にとって、「たまたま見落としていた」ということの方がよっぽど納得出来る判断だ。


「……早く始めてくださいませんか」

「ひぃっ……！　は、はい！　じゃあ奥の席へどうぞっ……！」

とにかく少女の正体がなんであれ、早く終わらせてしまうのが得策だった。

仮にもし幽霊だったとしても、別に危害を加えなければなんてことはない、はずだ。

……呪いとかは多分ないと思う。

ただもし少女がコントローラーも握らず、空中に浮かせてそれの操作を始めたりしたら、その時は逃げ出そう。私はよくわからない感じで自分を説得し、対戦席に向かう。

少女と共に席に着くが、いまだに心臓はドキドキと速い速度をキープしていた。

恐る恐る少女の方にちらりと目をやると、正面のディスプレイからの光で、少女の顔がうっすらと見て取れる。

色白の綺麗な肌にロングヘア。目つきこそあまりよくないものの、まちがいなく美人になるであろう、整った顔の持ち主だった。

しかし光の当たり方のせいで、今は非常にホラーチックな表情に見える。

私は平常心を損なわないよう、急いでゲームを始めることにした。

「あ、え、えぇぇとさっきも説明したとおり、ポイント制のシューティングゲームになりますっ。私より多く点数を取れたら豪華景品を進呈します！　で、そ、その難易度はどうします……？」

「……普通で」

「あ、はい！　そうですよね！　すみません！　よ～しじゃあ始めまひょう！」

最後を思い切り嚙んだことで、少女の背後にいた少年がクスクスと笑った。

それを見て一気に自分が恥ずかしくなった。

色々な思いが渦巻くが、とにかく早く終わらせることだけに専念することにする。

難易度を「ノーマル」に設定し、タイトル画面からスタートボタンを押すと、画面上に敵がワラワラと現れ始めた。

このモードは、先ほどプレイしたエクストラに比べると、格段に敵の数は少なくなっており、取得可能ポイントも大分下がっていた。

これは私の体感だが、エクストラに比べて、圧倒的に豚の敵が多いのが、このモードの特徴のようだった。

ゲーム開始から一分。

少女のプレイは特に特徴もなく、いたって普通の一般人レベルだった。

一回戦目からあれだけの猛者とエクストラをプレイしていた私にとっては、少々物足りない戦いだったが、普通の女の子ならこんなものだろう。

ときおり「キャッ！」っとかわいい声が聞こえるが、淡々とプレイをしている。

仮に「いやぁんこれ超むずい～マジむかつく～」「ははっしょうがないなぁよしよし」なんて始められた日には、営業スマイルを外して般若の面を着けることになってしまうだろう。それを考えると非常にやりやすい。

しかしゲームも残り三十秒になったところで、私の画面に突如異変が起き始めた。

突如目の前に現れた筈の豚の敵が消滅したり、銃の照準を表すマークが消滅したりと、不可思議なバグが起き始めたのだ。

「あ、あれ……⁉　故障かな……」

少女の後ろの少年は「キド、怖がらずに頑張れ！」とクスクス笑っている。

私はそれでも必死に敵を倒そうとするが、敵を狙おうにも照準も消えていてはどうにもならない。

そうこうしているうちに少女とのポイント差はドンドン縮まっていった。まさか序盤であまり差が付きすぎないように手加減していたことが、仇になるとは……！

「ヤバい……！」そう思った瞬間、ゲーム終了のブザーが鳴り響いた。

必死にプレイをしていたため、ポイントがどうなっているかはわからなかった。私は、結果発表の画面を前に祈るように目をつぶった。

もしこれで私が負けていたら、二人目のお客さんにして景品を失ってしまう。

これは、運営上避けなければいけない事態だった。

ファンファーレが鳴り響き結果発表画面が表示される。目を開けて恐る恐る確認すると、わずか１００ポイント差ではあるが私に「ＷＩＮ」のマークが表示されていた。

ドッと汗が噴き出す。まさかゲームのエラーのせいでこんなピンチに陥るとは……。

それにしても先生め、肝心なところで手を抜いたのではなかろうか？

私がそんなことを考えていると、横から少年のクスクスという笑い声が聞こえた。

「ははは、負けちゃったねぇキド。でもズルして勝ってもしょうがないでしょ？　ほら、ちゃんとお姉さんに謝らなきゃ」

画面の光で映し出される少年にそう言われた少女の表情は、必死に悔し涙を堪（こら）えているかのようだった。

「……ごめんなさい」

少し震えた声でそう言うと、少女は椅子から立ち上がり、スタスタとドアの方へ歩いていった。

「ちょ、ズルって……？　今のはゲームのエラーだから、あの子は何も悪くないよ？」

そう、誰がどう見ても今の現象はズルなんかではなかった。

コンピューターをハッキングしたわけでも直接妨害したわけでもないのだから、少女に何か反則をする余地などない。

そう言ったのに、少年はニコニコと笑顔を崩さなかった。

「ごめんね、お姉さん。信じてもらえないかもしれないけど、さっきのあの子、超能力を使ってたんだよ。調べてもらえればわかると思うけど、機械は壊れてないしゲームも正常だよ？　次からもちゃんと使えるから安心して」

そう言うと少年は少女に続くようにドアの方に向かい、こちらを振り向くこともなく、廊下へと消えて行った。

少女と少年が廊下に出た瞬間「うわあああ！」という遥の悲鳴が聞こえたのは、恐らく私同様少女の存在に気づいていなかったせいだろう。

私はコントローラーから手を放し、呆然と二人が出て行ったドアの方を眺めていた。

まるで狐につままれたような感覚に襲われる。

幽霊のような超能力少女と、ニコニコと笑顔を崩さない少年……。

こんな話を人にしても、「アニメの見すぎだ」とバッサリ切り捨てられてしまいそうな体験をしてしまった。

予想通りドタドタと部屋に飛び込んで来た遥は「今の女の子、最初からいた!?　僕全然気づかなかったんだけど！」とこれもまた、予想通りなことを言った。

「いたんじゃない……？　だってほら……」

私が指差したディスプレイには、少女の戦った証である私との接戦の記録が映し出されていた。

＊

12時を回り、校内は朝に増して香ばしい香りに包まれていた。

喫茶店や屋台など、飲食系の出し物をしているクラスにとって一番のかき入れ時であるこの時間帯は、アトラクション系の出し物をしている私たちにとっては休憩時間だった。

暗い理科準備室を抜け出し、入り口ドアに「13時まで休憩中です」と書いたプレートをぶら下げ、私と遥は昼食を一緒に食べるために出掛けることにした。

午前中は結局十数組と対戦をしたが、あの少女と少年以降は良心的な一般客に恵まれ、何の問題も起きることなくお昼を迎えることが出来た。

「ホント一時はどうなることかと思った……最初は正直、あんたがとんでもないお客さんばっかり選んで連れて来てるんじゃないかって疑ってたもん」

「ええ!?　そ、そんなことないよ！　僕はただ目の前に来た人に出し物の紹介してただけだし……」

正面玄関の前に広がるスペース、準備期間中はブルーシートと段ボールで埋め尽くされていたそこは、今や各クラスの屋台や出店で賑わっていた。やきとりやフランクフルト、フライドポテトに焼きそばなどなど、色とりどりの看板が食欲を刺激する。

遥と午前中の出来事を振り返りグダグダ歩いていると、校門の右手の方に買ったものを座って食べることが出来る昼食スペースがあるのを見つけた。

「あ、あそこでいいじゃんお昼。毎日準備室でお昼食べてばっかだし、たまにはさぁ……ってちょっと!!」

「む？　んぁみ？」

そこにはいつの間にやら両手いっぱいに食べ物を抱え、美味しそうにイカ焼きを頬張る遥の姿があった。

「……あのさぁ、あんた協調性とかないわけ？　私も一緒に見てまわろうと思ってたのに……っていうかいつ買ったの⁉」

「ん、ぷはぁっ！　あ、ごめんごめん、あんまりおいしそうだったからついつい……！あ、貴音にもあげるよ？　ほら好きなの食べて！」

遥が差し出した袋の中には、メインディッシュになり得そうな、焼きそばやお好み焼きなどのパックが大量に入れられていた。

「う……なかなか良いチョイスじゃん。じゃあ、とりあえず座って食べよっか？　奥の方だったら席空いてそうだし」

空いていそうなゾーンを見つけて振り返りながら私がそう言うと、遥はすでに次の獲物であるフランクフルトを咥(くわ)えており、声を出さずにブンブンと頭を縦に振った。


ちょうど日陰になっているところを見つけ、二人で向かい合う形で腰をかける。今日は天候にも恵まれ、絶好の学園祭日和(びより)だった。

むしろ外は少し暑いくらいで、一般客には薄着の人も多い。

私も遥も今日は結構動くだろうという事で薄着で来ていた。

座った瞬間から遥は「もう我慢できない！」と言わんばかりに、非常に嬉しそうな表情で袋から食べ物を出す。

どうやら先ほど私に見せていた食べ物はほんの一部だったらしく、次から次へと、推定五～六人前くらいの量の食べ物がテーブルに敷き詰められた。

「よ……四次元袋……？」

もはやどうやってこの袋に収まっていたのかもわからないほどの量の食べ物を目の前に、遥はどれから食べようか悩んだ末、お好み焼きを手に取った。

私もかなり空腹だったので、ソース焼きそばのパックを手に取り自分の目の前へと引き寄せた。

「じゃあいただきま……って私お金払ってなかったね。いくらだった？　これ？」

流石におごってもらうのも申し訳ないので、スカートのポケットから財布を取り出す。

「あ、いいよいいよ、なんか今日朝先生がね、『これで好きなもん喰え』ってお金くれたんだ。一万円くらい。だから大丈夫！」

「一万円も⁉　はぁ～……あの先生、出し物の予算はネコババするくせに、結構気前良いとこあるじゃん！」

「あ、なんかゲーム作ってる途中で、気分転換にパチンコ行ったらしいんだけど、それですごい勝ったんだって。その日の晩はお寿司の出前だったたよ」

それを聞いて少し上がりかけた先生の評価はいつも通り下の下に落ちた。それと同時に、目の前の美味しそうな食べ物がギャンブルの副産物に見えてしまい、無性に切ない気持ちになる。

「ん？　貴音食べないの？　食べないなら僕が……」

「た、食べるよ！　っていうかあんたどんだけ食べるの⁉　絶対太るよ⁉」

学園祭の屋台と言えば高カロリーな食べ物の祭典だ。私だって本当はフライドチキンに舌鼓を打ちたいが、いくら今日が祭りとはいえ明日は日常。

浮かれ気分で摂取したカロリーが、明日の我が身を苦しめることになるのは明白だった。

そんな中、遥は唐揚げにフランクフルト、クレープにスティックピザ、フライドポテトにチョコバナナとものすごい勢いで平らげていく。その量も尋常ではないが、何より食べ合わせに見ているだけで胸焼けが起きる。

「だって美味しいから。あ、それに僕食べても食べても全然太んないんだよね～。学校のお昼はあんまり持ってこないけど、家ではいつもこれくらい食べるよ？」

それを聞きながら、遥の食べている量と、遥の体型を見比べてイラ立ちを覚えた。

私なんて少し食べ過ぎただけでも体重に深刻な変化が生まれるというのに、不公平だ。

「あぁあ～……むしろなんも食べなくてもお腹が空かない体になれたらいいのになぁ……あと眠らなくても平気な体」

「え～それじゃつまらないよ。ご飯食べるのも眠るのも大好きだよ？　僕」

遥はハンバーガーのパックを嬉しそうに開けながら、そんなことを言った。

「……あんた幸せそうだね」

「ん？　なんか言った？」

頬にケチャップをつけて聞き返すこいつの顔は、どこか憎めない。私は遥の体重が明日あたりに十キロくらい増えて、ヒィヒィ言ってくれないものかと小さく祈った。

＊

午後13時30分。

予定通り営業を再開した我らが射的ブースは、午前中とは打って変わって、ぱったりと客足が途絶えていた。

「おっかしいなぁ。なんでだろう、午前中はこんなにガラガラじゃなかったのに。まさか悪い噂とか流れてないよね……」

私はドアから顔を出し、左右の廊下を確認する。遥は変わらず教室前に立ってお客さんを待っていたが、廊下には人がそもそもあまりいないようだった。

私が一抹の不安を抱く中、遥は何かを思い出したようにポケットから四つ折りにされたプリントを取り出した。

「あ、そっかそっか。きっとこれのせいだよ、貴音」

遥が取り出したプリントは、学園祭当日の各クラスの出し物のスケジュール表だった。

私は配られて早々にそれを失くしてしまっていたのだが、遥に頭を下げて見せてもらうのも癪だったのでずっと隠し通していた。おかげで今日の他のクラスの出し物はいまいち把握していない。

「あ、あぁ……で、どれがお客さん来ない原因なわけ？」

「うん、この『生徒会企画』ってやつが13時から14時の間、体育館でやってるらしいんだ。お客さんたちはそれを観に行ってるんじゃないかなぁって」

遥が指差したプリントには確かに「『生徒会企画』13時〜14時」と書いてある。しかも丁寧にそこだけ太い枠で囲まれているので、大層目立っていた。

「なるほど。まったく、生徒会も目立ちたがりだよね。っていうか出し物やってる時間帯じゃなくて後でやればいいのに……これじゃあ多分、どのクラスもいい気しないよね？」

プリントのデザインからも滲み出している自己顕示欲の強さに、少なくとも私はあまり好感を持てなかった。

折角お昼ご飯もしっかり食べ、午後からの戦いに備えていたというのに、誰も来ないのではしょうがない。

「まぁまぁ、あと三十分もしたらお客さん沢山来るよ。それまでせっかくだからもう少しのんびりしてようよ」

遥は再びプリントを畳み直すと、私が首を出していたドアを開け、中に入って来た。

「まぁしょうがないか。あ〜あ、もっと馬鹿みたいにお客さん来ないかな〜。片っ端から相手してあげるのに」

そう不満をもらし、ドアから首を引っ込めようとした時、視界の隅に人影が映った。

廊下向かって左手の、生徒用正面玄関の方向。先ほどまで人っ子一人いなかった廊下に、同じ服装の三人の男が立っているのが見えた。

迷彩のズボンにバンダナを巻き、ゴーグルを着けたその姿はまるでサバイバルゲームの帰りにそのままここへ立ち寄ったかのようだった。

「な、なんなのあの人たち……なんかの仮装？　いや、でも一般のお客さんっぽいから、もしかして私服……？」

しかし私服にしては少々行き過ぎたオシャレだった。服装だけならまだしも、背負ったリュックサックの肩の部分にはトランシーバーらしきものまで見える。

「どうしたの貴音？」

「う、うん……なんか怪しい人がいて……先生とか呼ばなくても大丈夫かな？」

「怪しい人？　ちょ、ちょっと僕にも見せてよ」

そう言うと私の上から遥も顔を出し、廊下を覗いた。

「ね？　なんか怪しいでしょ？　明らかにこんなとこに来る格好じゃないよね……」

「どうだろう。ああいうオシャレなのかも知れないよ？　ミリタリーファッション的な」

遥の口から「オシャレ」という言葉が出たことに愕然とした。こいつ、意外とそういうことに詳しいのかな……？

もしかして先ほどから私が怪しいと連呼してたあのファッションは「最近のオシャレ」なのかも知れない。……だとすると、逆に私が時代遅れだということを露呈してしまったのではないだろうか？

「ま、まぁ最近よく見るよね……流行ってるもんねああいう服。東京？　とかで……？」

こうなったら乗っかるしかない。とりあえず適当に褒めてみることにした。こんなやつに流行に疎いと思われることだけは、どうしても避けたかった。

「へ～、流行ってるんだ！　いや、僕全然そう言うの詳しくなくて……。でもさすが貴音だね！」

遥の爽やかな笑顔が心に突き刺さる。よく考えてみれば平気で半裸になるようなやつに、ファッションセンスもクソもある筈がなかった。

無駄な虚栄心で墓穴を掘ってしまった私は、「ま、まぁね……」とさらに自らの良心を罪悪感で締め上げた。

「あの、少々お尋ねしてもよろしいでしょうか？」

「へ？」

不意に声をかけられ顔を上げると、そこには先ほどのミリタリー集団が立っていた。

遥との下らないやり取りに気を向けている隙に、驚くほど近くに来ていたらしい。

「ひっひぃ!! は、はいっ！ なんでしょう！」

近くで見るその集団はとんでもない威圧感だった。

学校というシチュエーションに似つかわしくない格好をしたその集団は、先ほどは三人だと思っていたが、なぜだか今は六人に増えていた。

遥も気づいていなかったのか「うわぁ！」と驚き仰け反った直後、私の背後に回りこむ形で逃げの姿勢をとった。情けないやつめ。

「驚かせてしまい申し訳ありません。ちょっとある出し物を探しておりまして、こちらの学園祭で『射的ゲーム』という名目で、ゲーム対戦を行っているブースがあると聞いたのですが……」

「は、はぁ……え⁉　あ、え～っと多分それうちのことだと思うんですが……」

私はまず男たちが礼儀正しい好青年だったということに驚き、私たちのブースを探していたということに、さらに驚いた。

そして目の前の集団も、驚いたようにざわつき始める。

「お、おお、こちらでしたか！　ち、ちなみに対戦相手となるお方は……」

男たちはここが射的ブースだと知るや否や、私に対してまるで上官でも相手にするかのような振る舞いをし、質問を重ねた。

「え？　あ、あの……私……ですけど？」

私は得体の知れない集団からなるべく距離をおこうと、ドアから片目だけ出す格好で、返事をする。

すると集団から、「おおおおおおお‼」という歓声が上がった。

先頭で話している青年に至っては、なぜかボロボロと涙を流し始める。ま、まさかこの反応は……嫌な予感が頭をよぎる……。

「し、失礼しました……！　では、貴女(あなた)様が、《閃光の舞姫・エネ》様なのですね……！　お会い出来て光栄で――」

そこまで聞こえたところで「バン！」とドアを閉めた。

やはりそうだ。彼らはオンラインゲームでの私のファンだ。

最初にあの風貌を見た時に気がつけばよかった。

あの格好は以前見た、大会参加者そのものではないか。

気づいていれば、ここが射的ブースだということも、私が対戦相手だということも隠し、上手くやり過ごすことも出来ただろうに！　私はバカか！

しかしなぜここが……？　いや、それは簡単だ。一番最初のあの仏頂面が、ネット上で「《閃光の舞姫・エネ》が対人シューティングゲームを行っている！　近隣のゲーマーなら、行ってみる価値あり！」とでも言ったに違いない。

そもそも情報が漏れる経緯はそこしか考えられない。あいつらにはあの時、うんと釘を刺しておけばよかったのだ。

「た、貴音……さっきの人たちって……？」

「え？　あ、うん、何でもないよ！　帰ったよ！」

心配そうな遥に私は汗だくの笑顔でそう返すが、その直後背後のドアから激しいノックの音と共に「お願いいたします!!　一度お手合わせ願えるだけでよいのです!!」

「何とぞ!!　何とぞ!!」というむさ苦しい男たちの叫びが聞こえて来る。

あぁ、射的ゲームなんて発案したのはどこのどいつだ。いや私だ。こんなことになるとわかっていれば、いっそのことメイド喫茶でもやっていた方が何万倍もマシだった。

部屋の外のざわつきは徐々に大きくなっていく、その声から察するに恐らく次々に情報を仕入れた「戦士たち」が集まって来ているのだろう。

「……もうどうにでもなれ」

そう呟いてドアを開けると、すでに戦士たちは十人以上に増えていた。私が現れた途端、低くむさ苦しい歓声がドッと沸き起こる。

私はドアをバンと全開にし「私がエネだ‼　一人一人相手してやるから、死にたいやつからかかってこい‼」と叫んだ。

後ろから遥の「エネ……かっこいい……！」という感嘆が聞こえ、つーっと流れた涙が今度こそ私の青春の終わりを告げた。

＊

……あれから約二時間。

教室の中はオーディエンスで埋め尽くされ、部屋の外まで人だかりが出来上がっていた。

数十人の猛者を相手に、現在進行形で《新・舞姫伝説》を作り上げている私は、もはや恥辱の涙も涸れ果てていた。

「……また勝ったぞ!!　これで四十五連勝だ!!」

何度目になるかわからない歓声が上がり、挑戦者は光栄の涙を流しながら、私に対する賛辞の言葉を残して席を去って行く。

挑戦者はすでにゲーマーばかりになっており、一般客はそのあまりの雰囲気に遠くから見ることしか出来ないという、とても学園祭の出し物とは言い難い異様な光景がそこには広がっていた。

「エネ、まだ行ける⁉　あと十分くらいで終了の時間だから、最後まで頑張ろう！」

私の席の右手にしゃがみ込む遥は、いつの間にか私を「エネ」と呼び、完全にセコンド気分でエールを送り続けていた。

「あぁ、終わるんだ……もう私はとっくに終わってるけどね……ふふふ……」

背もたれに寄りかかりながらうわごとを呟く。明日から私は学校内でなんと噂されるのだろう。

いっそのこと、「エネ」と書いたネームプレートでもぶら下げて歩いてやろうか。

そんなことを考えながら私が無我の境地に達していると、新たな挑戦者が席に着いた。

先ほどまでの挑戦者は屈強な男どもばかりだったが、今回の挑戦者は二組目のパーカーの子たちと同じくらいの背丈で、赤いジャージを着た少年だった。

私がキョトンとしていると、遥が横から肩をポンポンと叩いて来た。

「エネ……熱くなってるところ申し訳ないんだけど、時間的にそろそろ勝ちを譲った方がいいと思う。悔しいかも知れないけど、この子には負けてくれるかな……？」

遥が非常に言い難そうにそう言った。こいつは一体いつまで勘違いし続けるのだろうか。私は別に熱くなっているわけではない。

しかし、時間的には確かにこれくらいで負けておいた方がいいのかも知れない。

まぁ負ける相手が少年だというのは少々プライド的に悔しいところでもあるが、これは試合以前に「サービス」なのだ。

それに、ゲーマー連中に負けるよりはよっぽどマシだろう……。

イベント成功のためにもここは自己顕示をしている場合ではない。最後の挑戦者ということもあって、私は久しぶりに営業スマイルを顔に貼り付けることにした。

「君が次の挑戦者だね、よろしくね！　ルールはわかるかな、一回説明しておこうか？」

見事に「かわいいお姉さん口調」で喋ることが出来た。この年頃の子ならもしかしたら恋の一つでもしちゃったかもしれない。――罪な女だ。

「……あんた全国二位だかで随分調子に乗ってるみたいだけど、見た限り全然大したことないよ。読みも甘いし動きも雑だ。見ていてイライラするよ」

私の想像とは裏腹に、ジャージ姿の少年は目を合わすこともなくそう呟いた。

「え……？　あ、ごめんお姉さんよく聞こえなかったんだけど……」

きっと聞き間違いだ。まさかこの可愛らしい少年からそんな辛辣な言葉が出る筈がないだろう。

「『あんた弱い』って言ったんだ。いいから早く始めてくれよ。難易度はそっちで決めて構わないから」

――ブチンと頭の中で何かが切れる音がした。二度も聞いたのだから間違えようもない。

こいつは私のことを『弱い』と言っている。

子供の分際で、私のプレイにケチをつけたのだ。《舞姫》とあがめられる私のプレイを。

「あ、あんたねぇ……私が弱いってことは……私に勝てるってこと⁉」

「あぁ、勝てる。確実に勝てるよ。だってあんた弱いし」

堪忍袋の緒が切れた。今日一番に熱い血液が頭の血管を突き破りそうになる。

しかし相手は年下だ、ここでブチ切れてしまってはどうしようもない。

そう、なんのことはない、勝てばいいのだ。弱いやつほど声がデカいもの。勝敗こそがこの世の理だということを、身をもって教えてあげなければならない。

「へ、へぇ～……！　そうですかそうですか……！　じゃあ、最高難易度で私と勝負ってことでいいんだね？　私ぜっっったいに負けないけど⁉」

握っていたコントローラーが私の握力でギシギシと音をたてる。

横で遥が「ちょっと貴音、負けなきゃダメだよ！」と小声で言っているが、そんな声はもはや耳には届かなかった。

——これはプライドを賭けた戦いだ。

今この場で、このジャージの少年を捻り潰す他、私のプライドを守る術はない。

「いいよ。あんたが勝ったら何でも言うこと聞いてやる。あんたが負けたらどうする？」

そう言って少年は初めてこちらを見た。鋭くて、どこか物悲し気な目は、まるで何かを見通しているかのような冷たいプレッシャーを放っていた。

「わ、私だって負けたら何でも言うこと聞くよ‼　あんたの下僕になって『ご主人』って呼んだっていいよ⁉　絶対負けないから！」

「あっそ。やっぱあんたつまんないね。じゃあ始めてよ」

そう言って少年は再びディスプレイに向き直る。

すでに私は、鏡を見ずとも顔が真っ赤になっているのがわかるほどに興奮していた。

叩きのめす……！　こいつだけは絶対に叩きのめす！

一度深呼吸をすると、難易度エクストラを選択しスタートボタンを押した。

「馬鹿にしたこと……後悔させてやる……！」

決戦の火蓋(ひぶた)が切って落とされ、画面に敵が溢れ返った。


結果として、私はその日の自己最高得点を叩き出した。それが実感出来るほどに調子も良く、全力と呼ぶにふさわしい集中力が出ていただろう。

しかし、結果発表の画面には敗北を意味する青い「ＬＯＳＥ」の文字が表示されている。

一方ジャージの少年の画面には「ＷＩＮ」という金色の文字と、さらにその下に……

「ＰＥＲＦＥＣＴ‼」という赤文字が表示されていた。

「うそ……でしょ……？」

いまだに状況が理解出来ない私に、少年は一言「約束……迷惑だしなしでいいから」とだけ呟き教室を後にした。

遥が慌てて景品の標本を渡しに行こうと立ち上がる。

「あ……僕これ渡して来るね！　エネ、最後までかっこ良かったよ！　お疲れさま！」

遥の言葉にも、私は何も反応出来なかった。

年下にあれだけ馬鹿にされ、あれだけ啖呵を切り、負けたのだ。

周りでは「勝ちを譲ったんだ！」「いや、得点的には今日最高得点だぞ？　ってことは『エネ』が負けたのか⁉」などと論議が起こっていたが、そんなことはどうでもよかった。

――悔しい。ただその感情で一杯になっていた私は、いまだにコントローラーから手を離せずにいた。


「あ、あの……友人が失礼なことを言ってしまい、申し訳ありませんでした……」

不意に話し掛けて来たのは、黒いミドルロングの髪の少女だった。

今日は大して寒くないというのに、なぜか赤いマフラーを着けたその姿は非常に儚げな雰囲気を持っていた。

「……あなた、さっきの子の友達？」

コントローラーを机に置き、そう聞くと、マフラーの少女は照れくさそうにはにかんでから「……一応」と答えた。

　ということはあのジャージ姿の少年は、あれだけの腕で、さらに女の子連れで学園祭に来たということか⁉　憤怒の炎が燃え上がりそうになるが少女の申し訳なさそうな態度に気持ちが削がれてしまった。


「そっか……まぁ別にいいよ。あの子すごく強かったし、私も久々に楽しかった。でも、ちょっと態度注意してあげた方がいいよ⁉　あのままじゃ社会に出られないんだから」

　私が鼻息を荒げてそう言うと、少女は苦笑いを浮かべてため息をついた。

「そう、なんですよね。あの子ちょっと人付き合いが苦手というか、自己中心的なところがあるので……あとで私から注意しておきます。本当にすみません……」

「い、いや、あなたに謝られても……。まぁ、それくらいの歳なら色々あるよ、きっと。ちゃんとお話ししてあげたらいいよ」

「はい、そうします。あっ、どうしよう、私置いて行かれちゃった！　すみません、私もここで失礼させていただきます。この後父にも会いに行かなくてはいけないもので……」

　少女は頭を下げると、あたふたと急いで部屋を出て行った。

　景品がなくなったことで、お客さんは徐々に撤退を始め、私のファンであろう人たちも「出過ぎた真似はするまい」と言わんばかりに、そそくさと部屋を後にした。

それを椅子に座りながら、何となく見守っていたところで、時計は学園祭の終了時間である16時を指した。

廊下のスピーカーから、「ただいまを持ちまして、展示の時間を終了します。各クラスの生徒は実行委員会の指示に従い速やかに片付けを始めてください」というアナウンスが流れ始める。

それを聞きドッと疲労感が襲い掛かって来た。本当に一日中予想外の出来事に散々巻き込まれ、とんでもない大騒ぎにまでなってしまったが、それでも終わってみればなかなか楽しかったかもしれない。

あとは私が「エネ」だという事実が、これ以上広がることもなく、人々の記憶から風化していってくれればいいのだが……。

そんなことを考えながら私は遥の帰りを待っていた。

あいつもよく頑張ってたし、今日くらいは褒めてやってもいいかもしれない。

そうだ、たまには帰り道になにかご飯でもおごってあげようか……いや、ダメだ。私の少ないお小遣いなど、あいつにかかれば一瞬で消し飛んでしまう。割り勘にし……いや、それぞれ食べた分だけにしよう。うんそうしよう。

そういえば先生に貰った食費もまだたんまりあるんだった。

どうせなら返せと言われる前に使ってしまうのが得策だろう。


長机に突っ伏し、手持ち無沙汰にコントローラーをいじったりしながら待つこと十五分。

……遥はまったく戻ってこなかった。

景品を渡しに行っただけだというのに、あまりにも遅すぎる。

一体どこで道草を食っているのだろう。

部屋にはカチカチと秒針の音が響いていた……出し物の時間が終わった後、各クラスは部屋の片付けをし、17時には下校しなくてはいけない。

私たちももちろんそうしなくてはいけないのだが、二人だけで全てをやろうとすると、結構な時間がかかってしまうだろう。

「あいつ……もしかしてサボろうとしてるんじゃないよね」

——いや、あいつに限ってそんなことはしないだろう。そんなことをしたら、後日私に殴り飛ばされるのは明白だし、何よりあいつは誰よりまじめだった。

しかし、だとしたらこれだけの時間戻って来ないのは、どう考えても不自然だ。

道草の可能性を考えているうちにふと、嫌な予感が頭をよぎる。

もしかして走って追いかけている途中、どこかで発作を起こしたということは考えられないだろうか。

遥の病気は命に関わるほどの重病だと、以前聞いたことがある。

しかし普段の振る舞いやあいつの性格から、そんな気配は全くなく、私はあいつの病気を心配したことなど一切なかった。

だが、あいつはしばらく徹夜続きで、しかも一日中私と共に接客をした後、走って飛び出して行ったのだ。

考えれば考えるほど、嫌な予感はさらに大きく膨らみ、心臓は一気に鼓動を速めた。

机から立ち上がろうとして椅子を思い切り倒してしまい、大きな音が教室に鳴り響く。

しかし、そんなことはもうどうでもよかった。

今、もしかすると遥はどこかで倒れているかもしれない。

もしかすると誰にも気づかれないようなところで、苦しんでいるかもしれない。

そう思うと、もういてもたってもいられなくなった。

もっと早くに気がつけばよかった。あいつはとても弱いやつなのだ。

それなのに私はなんの心配もせず、無理ばかり押し付けてしまっていたのだ。

「遥……ッ！」

ドアへと向かい、それを一気に開ける……！　勢い良く飛び出そうとした私の体は——ちょうど目の前に立っていた人物を思い切り突き飛ばした。

「うわああ‼」

「キャアッ‼」

相手をはじき飛ばした私も、その勢いで教室の方へと吹き飛び、思い切り地面に尻もちをついた。腰に走る痛みに声を漏らしながら顔を上げると、ドアの向こうの廊下に見慣れた色白の青年が目を回して倒れているのが見えた。

「は、遥っ⁉」

「いてて、危ないなぁ……どうしたの貴音……？　そんな慌てて……」

「——馬鹿……‼　私、心配して……」

安堵の気持ちと吹き飛ばしてしまったことへの心配から、立ち上がった私は、そのまま抱きしめてしまいそうになるほどの勢いで、遥の方へと向かった。

――が、口の周りにソースをつけた遥の姿や、ぶつかった衝撃で散乱した各種食べ物のパックに気づき、その感情はそのまま蹴り飛ばしたい気持ちへとコンバートされていった。

「……あんたなにやってんの？」

私は痛そうに腰をさすっている遥の手前でピタッと足を止め、見下ろす形でそう尋ねた。

「え？　なにって、もう出し物終わっちゃったから、廃棄される前に食べ物貰っとこうと思って！　あ、ねえ見てよこの量！　今日はパーティー出来るよ!?　やったね!!」

……ワナワナと怒りが込み上げて来る。

握った拳と両の頬が徐々に熱を帯びていくのを感じた。あぁ、一瞬でもこいつのことを心配した私はなんて大馬鹿者なんだろうか。

「…………貴音？　なんか怒ってる？」

遥がそう尋ねた瞬間、私の拳が遥の脳天に振り落とされた。

ちょうどそのタイミングで流れた校内アナウンスは、本日の出し物の中でＭＶＰに輝いたのが、私たちのクラスであるということを報告していたそうだ。

しかし、私の怒鳴り声と遥の断末魔にかき消されたため、私たち二人がそれを知るのは、それから数日後のことになるのだった。

ヘッドフォンアクターⅢ

周りにはもう誰もいなくなっていた。

建物によって遮られ、今まで隠れていた夕日が、この場所からはよく見える。
世界を紅(あか)く、紅く染め上げるその光は、まるで全てを燃やし尽くす、炎のように思えた。

急勾配の坂道を駆け上り、息も絶え絶えに私は丘の上へと辿(たど)り着いた。

ヘッドフォンの向こうで、私をここへと導いた声の主(ぬし)が何かを呟(つぶや)いたが、息を吸うことだけに精一杯だった私は、それを聞き取ることが出来なかった。

もう恐らく、全てが終わると言われていた時間だろう。いや、もしかしたらもう過ぎてしまったのかも知れない。

しかし辿り着いた丘の上には、何もなかった。
いや、正確に言えば巨大な壁に描かれた、巨大な空が広がっているだけだった。

「……違う」

私は思い出せもしない何かがそこになかったことで、大きな違和感を覚えた。
速かった呼吸が、ゆっくりと正常なリズムを取り戻して行く。
次第にこの違和感の正体が、おぼろげながら明白になって行く。
——何かがなかったじゃない。
「あいつ」がここにいないのだ。
「やっと伝えられると思ったのに……」
その言葉は私の口から無意識にこぼれていた。

伸びてゆく自分の影が、薄くなっていく。

もう夕暮れが終わろうとしていた。

『……やっぱりもう……ダメだったんだ。ここでしか、この場所でしかもう伝えることが出来なかったのに……！』

ヘッドフォンから聞こえたその言葉は、思い出せもしない私の心を代弁してくれているようだった。

『結局もう全て終わってしまっていたんだ！　もう……何もかも……ッ!!』

——もう、諦めよう。

もう、「あいつ」には会えないんだ。

もう、わかってしまった。

『こんな……こんな世界ならいっそのこと──！』

そんなことは言わないで？

間に合わなかったけど、

最後の最後で私は、

──自分の気持ちに気づけたのだから。

振り向いたその時、街はもう最期の時を迎えていた。

閉ざしていた空が崩れ落ちたその向こう、私は彼女に最後の言葉を呟いた。

「……ごめんね……貴音」

燃え尽きていくプログラムの残骸を、薄れ行く意識の中で眺めていた。

ヘッドフォンの向こうから聞こえたその言葉は、

私を再び眠りに誘うのには、十分すぎる言葉だった。

夕景イエスタデイⅢ

真夏日。

窓の外は抜けるような青空。遥か遠くには巨大な入道雲が見える。

「……ダメだ、ぜんぜん理解出来ない……」

教室では、怒濤の夏期講習が繰り広げられていた。

目の前に積み上げられた課題用紙を、遥はニコニコとしながら涼しげに進めて行くが、対する私は一問一問、問題文を解読するのがやっとというくらいの厳しい戦いを強いられている。

あの学園祭からしばらくが経ち、私たちは高校二年生になった。

とは言っても、クラスの人数は変わらず私と遥の二人だけだし、担任も残念ながら楯山先生から変わることはなかった。

二年生にもなると徐々に勉強は難しくなり、正直頭が良い方でない私は、テストの度に平均点を下げ続けていた。

「あれ、貴音、また手が止まってる。もう一回教えようか？」

私は遥にすでに倍近くの進行量の差をつけられ、先ほど、どうしても理解不能な問題を教えてもらうという屈辱を味わったばかりだった。

「う、うっさい！　もうちょっとで解けそうなんだからちょっと静かにしてて！」

そう言って課題用紙に集中しようとするものの、書いてある内容は正直ほとんどわからなかった。

数学のくせにやたらと英語が出て来るし、答えじゃなくて式を書けなどと言ってくるし、もうメチャクチャだ。

「あはは、ごめんごめん。そうだね、出来る限り一人で頑張らなきゃ意味ないもんね！うん、頑張って！」

遥はガッツポーズをしてそう言うと、再び自分の課題をすらすらと進めはじめた。

ちくしょう……もうちょっと粘ってくれたっていいじゃないか。

マズい。このままではまた、私だけ教室に取り残されてしまう。

課題が終わると遥はいつものように、「手伝おうか？」と聞いてくる。

それはもう純粋に協力しようとしてくれているのだろうが、そんなことをされ続けては、私の威厳がなくなってしまう。

なので今日もいつも通り、「一人でやりたいから、早く帰って！」と、遥を追い払ってしまうだろう。

あぁ……私は何をやっているのか。貴重な夏休みを、学力の低さと変な意地でドンドン食いつぶしてしまっている。

当初の予定だと近々行われるゲームの大会に備えて、自主合宿を自室で敢行するつもりだったのに、まさかこんなことに時間を割かれてしまうとは、夢にも思わなかった。

「はぁ、どうしよ、完全に腕なまってるよな……二日もログインしてないし。今回はもう諦めようかなぁ……」

ベタァッと課題用紙の上に頬をつけて私がぼやくと同時に、遥は「よし」と言って全ての答案が記入された用紙をまとめているところだった。

「え⁉　終わんの速っ‼　え、うそ、もう帰っちゃうの⁉」

驚いてつい、まるで帰られるのが寂しいかのような言葉が、口をついて出てしまった。

私は慌てて訂正しようとするが、遥は気に留めることもなく鞄（かばん）を机の上に置いた。

「あ……そ、そりゃ、帰るよね。まぁ家に帰って好きなだけご飯でも食べてればいいよ。私、一人でも十分問題解けるし？」

　つい、過度に気にしていないアピールをしてしまう。しかし、腕を組む私を横目に遥は
「え？　帰らないよ？」と言い、鞄からノートパソコンを取り出した。

　おもむろにそれを立ち上げ、慣れた早さでログイン画面にパスワードを打ち込んで行く。ログインが完了すると、ゲームタイトルと共に、白髪に黒い首輪をつけた、「コノハ」という名前のキャラクターが表示された。

「な、なああ⁉　あんたなに考えてんの⁉　今ここで始める気⁉　私の横で⁉」

「うん！　だって大会も近いし、横でやられたら貴音もやりたくなって課題も早く終わるでしょ？」

「いや、気が散るっていうかああああもう限界‼　私もやりたい‼　ちょっと貸して！」

「うわあ！　だ、ダメだよ‼　ちゃんと課題終わらせないと！」

　そう、遥が始めたのは私が大会に出場しようとしているゲームだった。

　あの学園祭以降、遥は知らなくてもいい知識をどんどん身につけ、オンラインゲームをプレイするようになった。

最初の頃は、「どうせすぐに飽きるだろう」と思い気にも留めていなかったが、やればやるほど遥はハマり、徐々に戦果をあげ始めた。

そして今ではこのゲームの中でもかなり有名なプレイヤーになり、なんと次の大会でも優勝候補の一人として数えられるほどに腕を上げていた。

……そもそものキッカケは、学園祭の日の夜まで遡(さかのぼ)ることになる。

＊

「……まぁなんだかんだで学園祭。結構楽しかっただろ」

「まぁ、正直トラウマになりそうな事件も多かったですけどね……。あ！　この小籠包(しょうろんぽう)おいしい〜」

「ひぇもははねふごいはもひほうあっはお」

「ちょっ遥汚い！　ちゃんと飲み込んでから喋(しゃべ)ってよ！　って先生どさくさにまぎれてお酒飲み過ぎです!!　何杯目ですか!?」

先生と遥と私の三人は、打ち上げということで晩ご飯を食べに来ていた。

結局貰って来た食べ物を遥はものすごい勢いで平らげ、その後二人で大慌てで後片付けをし、私たちはなんとか学園祭を終えることが出来た。

片付けの途中、遥が私を「エネ」と呼ぶたびに蹴りを入れたが、こいつはなぜ怒られるのかいまいちわかっていないようだった。まったく腹立たしい。

その後、まるで見計らったかのように片付けが終わったタイミングで「ヒーローは遅れてやって来るもんだからな……」などとカッコつけて現れた先生に、私は遥と同じように散々蹴りを入れ、遅れて来たことのお詫びとして、晩ご飯の約束を取り付けた。

「いやぁ～それにしてもすごかったなぁ。《夢幻円舞ーホーリィナイトメアー》だっけ？　エネがこうバンバン敵をなぎ倒してく感じが……！」

「だからその名前は二度と言うなって言ってるでしょうが‼　あああ……最悪だぁ……」

私の希望でやって来た中華料理店は学校から距離もあるせいか、同じ学園祭の打ち上げをやっている生徒は見当たらなかった。

私は積み重ねられた皿の手前のスペースに肘を突き、手のひらで顔を覆い悶絶した。

「はっはっは！　なんだお前結局バレちまったのか‼　まぁ悪いことしてるわけでもねぇんだから、気にすんなってエネいでぇ！」

先生の二の腕にパンチをし、私は大きくため息をついた。

やけだと言わんばかりに目の前のオレンジジュースを一気に飲み干す。

「そうそう、隠す必要ないのにさぁ！　でもあれだよね、『エネ』って名前、あれって『えのもとたかね』の最初と最後の文字を使ったんだよね？」

「そ、そう……だけど……だからなんなのさ」

「え？　いや面白いなぁって。なんかそう言うホントの名前じゃない名前ってかっこいいよね～。僕もなんかつけてみたいよ！」

遥は今日、一体何人前になるだろう目の前の料理を平らげ、次の料理がやってくるのをソワソワと待ちながらそんなことを呟いた。

しかし、こいつの胃袋はどうなっているんだろうか、苦しそうにするどころかいまだに食べるペースが落ちていないのが非常に不気味だ。

「じゃああれか？《閃光の舞姫》ってのもなんかお前に関係がいやまて!!　悪かった、拳を降ろせ!!」

余計なことばかり言う先生を威圧感で黙らせる。時間はもう20時になるところだったが、明日は振り替え休日ということもあって、まだ時間には余裕があった。

「ハンドルネームなんて適当なんだから、いちいち突っ込まないでよ恥ずかしい……」

遥に食べきられてしまう前に、自分の皿に取り分けたエビチリを口に運びながら、私は二人の嫌がらせとも取れる質問にぼやきつつ答えた。

「僕もなんか付けてみようかな！　『ここのせはるか』だから……『コノハ』とか！」

「はいはい、別にいいんじゃない？　よろしく、コノハ君」

私は適当に返事をするが、遥は予想以上に嬉しかったらしく「おおお！　やっぱなんかいいねこれ……！　今後名乗って行くことにするよ！」と謎に燃え上がっていた。

＊

――そんなことがあり今に至る。

「だ、だってあんたばっかりずるいじゃん!!　一人だけそうやって腕上げようとして……。私だってやりたいのに！」

「それは貴音が悪いんだよ～、ちゃんと僕課題終わらせてるし。じゃあ終わったら一緒にやってあげるから、課題頑張るんだよ？」

遥の言うことは誰が聞いても正論で、私は「だって……」「でも……」と子供のような言い訳をするしかなかった。

そして怠けて学力を下げた自分と、まじめに勉強しているのに夏期講習に通わなくてはいけない遥との違いを、改めて思い知らされていた。

そう、遥は学力不足で夏期講習に来ているわけではない。このスピードで問題が解けるのなら、学力だけでいうなら学年トップクラスだろう。

授業態度ももちろんよく、指導の必要など見当たらなかった。しかし、遥は一番肝心の「出席日数」で周りに大きく劣っていたのだ。

去年の十二月頃、遥はクリスマスパーティーを自ら企画し、私と先生もそれに参加することになっていた。

ちょうど遥の誕生日だったこともあり、私は逆に驚かせてやろうと、めずらしく必死にプレゼントを選んでいたことを覚えている。少ないお小遣いを精一杯貯金して、なんとか貯めたある程度の金額を放出するのは断腸の思いだったが、遥が喜んでくれることを想像すると、なぜだか楽しい気持ちになっていた。

——しかし当日、遥は発作を起こして倒れた。

幸いすぐに病院に運ばれたことで、大事には至らなかった。

私と先生が駆けつけた頃には、すでに五人前ほどの食事をかき込んでいる最中だったが、
それでも遥はその日から入院することになった。

一週間ほどで退院した遥は冬休み明けから元気に学校に通っていたが、一ヶ月後、再び発作を起こして入院。

その時は容態がなかなか良くならず、一ヶ月ほどの間病室から出ることが出来なかった。

しかし本人は体調よりも、その頃ハマりだしたオンラインゲームのことを心配しており「退院したらすぐ練習しなくちゃ」と、私にずっと言っていた。


その後、二人とも無事に進級したが、遥はかなり体調を崩しやすくなり、入院とまではいかなくとも、ポツポツと欠席する日が増えていった。

そして現在、出席日数が足りていなかった分を補うべく、遥は夏期講習を受けている。

遥は文句を言うこともなく、「貴音と一緒に受けられるなら、むしろ楽しい」と言うが、実際のところはどう思っているのだろう。

——私には……よくわからなかった。

「あ、新しい武器が出てる！　大会前だからかな？　買っちゃおうかな～……」

興奮気味にディスプレイを眺める遥からは、少なくとも落ち込んでいるような雰囲気は感じられない。

いや、思い返してみればこいつが落ち込んでいる姿なんて見たことがなかった。

クラスメイトが私ただ一人だった時も、楽しみにしていた体育祭が私たちのクラスだけ見学だった時も、入院してしまい学校に来れなくなった時も、笑顔だった。

私はいつもいつも、そんな遥の笑顔に怒り、呆れ……そして惹かれて行った。

「ねぇ、遥……」

「え？　何？　ちょ、ちょっと待ってね。今戦闘始まっちゃったから！」

遥はディスプレイから目を逸らすことなく、必死に戦闘を繰り広げていた。

ブツブツ独り言を言いながらゲームをやるその姿は、まるで無邪気な子供のようだ。

……しかし本当に能天気なやつだ。というか折角残っているのであれば、もう少し私に構ってくれても損はないのではなかろうか。

ふぅっと息を吐き、改めて課題用紙を眺めるが、横から聞こえて来る銃撃音のせいで、正直全く集中できなかった。

なにが「課題も早く終わるよ」だ。気が散って全然逆効果じゃないか。

もういっそのこと追い出してやろうかと睨みつけるが、相変わらずこちらには全く意識が向いていないようで、怒る気も失せる。

もはや課題をやる気は消え、机の上に頰杖を突きながらシャーペンを転がしていると、ふと良いアイデアをひらめいた。むくりと起き上がり、机の横に掛けてある鞄の中に手を突っ込むと、ヘッドフォンを取り出す。

……これを着けて私が素っ気ない態度を取っていれば、こいつも焦ってゲームを止めてくれるかも知れない。

人間、自分一人の世界に入ってしまった時に他の人が何かをし始めると、無性に寂しい気持ちに襲われるものだ。こいつもそうに違いない。

ヘッドフォンを装着し、コードの先端をポケットに入っていた携帯電話に繫げる。

何を聴こうか色々考えたが、特に聴きたい音楽もなかったのでおもむろにラジオ機能をONにすると、いかにも午後のティータイムと言った感じのBGMが流れ始めた。

そのまま遥の逆を向く形で机の上に突っ伏し、目をつぶってラジオの音楽に耳を傾ける。

こうしていれば、そのうち遥も気になって声をかけて来るだろう。そうしたら「ラジオ聴いてて忙しいから、後にして」と言ってやるのだ。

我ながら完璧な作戦だ。その時私はそう確信し、ニヤリと笑みがこぼれた。

……しかし、しばらく経っても遥は声を掛けてこなかった。

最初の数分は私も「まぁ、もう少しすれば話し掛けて来るだろう」と心に余裕があり、遥の方を向こうともしなかった。

だが十数分経ったあたりで、私は自分の我慢弱さを、身をもって知ることになった。

……遅い。遅すぎる。

すでにラジオから流れていたオシャレなBGMなど耳に入らず、私はもういつ遥の方へ振り向いてもおかしくはない欲求と、なんとか戦い続けていた。

そして二十分ほど経った頃、あっけなく限界は訪れた。

「あ、あ～あ、つまんないな～。もう帰っちゃおうかな～」

それは最後の意地だったのだが、私は振り向かずそう呟いた。

あまりに幼稚で恥ずかしい自分の言葉に、どんどん羞恥心が溢れ出す。

くそ。なんでこいつのために私がこんな思いをしなくてはならないのだ。

こいつもこいつだ。これだけ経っても無視を決め込むだなんて、酷すぎる。

それともそんなに私に魅力がないのだろうか……。

そう考えるとなぜだか不安になって、いまだに話しかけてこない遥の表情をどうしても確認したくなってしまった。

不意に生まれた衝動に意地も忘れて起き上がり、ヘッドフォンを外して遥の方を向く。

「ねぇってば！　……遥？」

ヘッドフォンを外し、音楽の止んだ世界には、ゲームのＢＧＭだけが流れていた。

銃撃音も止み、コントローラーを操作する音さえ聞こえない。


――遥はぶらりと手を投げ出し、首をがっくりとうなだれて……沈黙していた。


「は、遥ッ!!」

一日で異常事態だと気づいた。慌てて椅子から立ち上がり、遥の体を揺する。

しかし遥が反応することはなく、触れていたその肩は冷たく、冷えきっていた。まるで遥の中身だけどこかへいなくなってしまったかのように、体は支えを失っていた。

私は頭の中が真っ白になった。ガクガクと膝が震え、恐怖から涙が流れ出す。

「やだ……うそ、うそ……！　だ、誰かッ!!　誰かいませんか!!」

私は力なくうな垂れる遥の体を支えながら、廊下側のドアに向かって叫んだ。

しかし返事が返って来ることはない。夏休み、ただでさえ人の少ない学校内、特にこの教室の周辺になど、都合良く人がいる筈（はず）もなかった。

「お願い、誰か……誰か助けて……‼」

もうすでに、私の頭は正常な判断が出来なくなっていた。うな垂れる遥の体を抱きしめ、ただ震えることしか出来なかった。

今手を離すと、もう二度と届かない、遠いところに行ってしまうように思えたからだ。

「神様……！」

私がそう祈った次の瞬間、教室のドアが勢いよく開かれた。

見慣れた白衣の男は私に向かって「大丈夫だ」と呟き、

——ゆっくりと遥を抱きかかえた。

＊

病院の待合室は重い空気に支配されていた。

時折パタパタと看護師さんが走る足音が聞こえ、その度に私はびくりと肩を揺らした。

遥が運ばれたのは、数ヶ月前に丘の上に出来た総合病院だった。

緊急治療室の前の長い椅子には、私と先生の二人だけが腰掛けていた。

握りしめたハンカチはすでにぐしゃぐしゃに濡れていたが、それでもなお私の両目からは涙がこぼれ続けていた。

「……先生……遥、目を醒ましますよね？　……また、元気になりますよね？」

私はもう何度目かになる質問を先生に投げかける。

それはきっと、先生を困らせてしまうだけだろうということもわかっていた。

それでも先生は「あいつも頑張ってんだし、きっと大丈夫だ」と笑い、私の背中をポンと叩いた。

以前、私がどこかの病院に入院した時、祖母はこんな気分で待合室にいたんだろうか。

まるで出口の見えないトンネルを、俯きながら歩くような感覚。

「きっと大丈夫」

そう思ってはみるものの、拭いきれない恐怖が、最悪の結末を嫌でも想像させる。

あの時、私がもっと早く気づいていれば、遥はこんな目に遭わなかったかもしれない。

私の下らない意地のせいで、遥は一人、苦しんでしまったのだ。

もしかするとあの時、遥は意識を失うその時まで、私に助けを求めていたかも知れない。

それなのに私は……私は……！


これほど自分が嫌になったことはない。

ハンカチを持ったままの手にポタポタと涙が落ち、雫になって伝っていく。


——そうだ。もうこんなどうしようもない私には、遥の側にいる資格も、心配する資格もないだろう。

目を醒ました遥になんと言ってやれる？

「無事でよかった、心配した」とでも？

私が大事だったのは自分だけだ。こんな時にだけいつも思っているようなフリをして、綺麗に取り繕って、それで清算しようだなんて甘えるにもほどがある。

先生が駆けつけてくれなかったら、私はどうすることもできなかった。

私はそれほど無力で、ワガママなだけの存在だったのだ。

緊急治療室のランプが消えた。

自動ドアが開き、手術着に身を包んだ遥の担当医が姿を現す。

先生は勢い良く立ち上がり、担当医の元へ駆け寄り何か会話をし始めたが、私は緊張と恐怖で、もう動くことすら出来なかった。

何を喋っているのかも聞き取れず、ただただその二人の会話を見つめていた。

「……そうですか。どうか……よろしくお願いします」

先生が頭を下げた。担当医は二、三言何か呟き、廊下の奥へと去って行った。

「せ、先生……遥は……！」

座ったまま、混濁する頭で先生の白衣の裾(すそ)を握り、そう尋ねると先生は少しホッとした表情で答えた。

「……今はまだ眠っているらしいが、なんとか一命は取り留めたってよ」

先生は私の横にドスッと腰を下ろした。

額にうっすらと滲(にじ)んだ汗が、白衣の襟元にポタリと垂れる。

私はそれを聞き、胸を撫(な)で下ろした。

遥は生きている。それだけでなにもかもがどうでもよくなるほどに、嬉しかった。

しかし、ふいに脳裏をよぎった遥の笑顔は、もう届かないところにあるような気がして、胸が激しく痛んだ。

……もしかするともう、あいつは私に会いたくないかも知れない。


苦しんでいた時に何もしなかった私のことを、嫌いになってしまったかも知れない。

もしあいつが今目を醒ましたら、私を見てどんな顔をするのだろう。

それを考えると、恐ろしくて恐ろしくて仕方がなかった。


「……先生、私、遥の荷物、取ってきます……」

「ん？　あぁ、そう言えばあいつの財布も携帯も置きっぱなしだったか……ってお前一人で大丈夫なのか？」

「大丈夫です……先生はもし遥が目を醒ました時のために、側にいてあげてください」

そう言って私は席を立ち、病院の緊急外来用玄関へと向かう。

何から逃げていたのだろう。とにかく私はその場を離れずにはいられなかった。

廊下の端にある玄関を出た途端、生温(なまぬる)い外の空気に体を包まれる。

一人になりまた少しだけ泣きそうになったが、私は首からぶら下げたままになっていたヘッドフォンを着け、振り返ることなく歩き出した。

＊

学校に着いた頃には、もうすっかり夕方になっていた。

昼間に比べて鳴いている蟬(せみ)の声は少なくなり、外は気温も大分下がっていた。

しかし、少し急ぎめにここまで来たせいか、制服のシャツは汗ばみ、背中にぺったりと張り付いている。

上靴へ履き替え、廊下へと抜け、科目教室の連なる右手を向く。

学校内は先ほどに比べてさらに静まり返っていた。

あと一時間もすれば、ここもう真っ暗闇になってしまうだろう。

そういえばあの日、この廊下に何十人もの人だかりが出来たあの学園祭の日から、もう一年が経とうとしているのか。

変なファンが集まったり幽霊のような女の子に出会ったりと、あの日はホントに大騒ぎだった。遥がオンラインゲームにハマったのもあの日からだったし、初めて女の子の友達が出来たのも、あの日がきっかけだった。そして……。

「あ、貴音さん、お久しぶりです。どうしたんですか？」

突如呼び止められたことに驚いて、ヘッドフォンを外す。

振り向いた先には、この真夏日だというのに赤いマフラーを巻いた少女が立っていた。

「あぁ、アヤノちゃん。久しぶり。あれ、なんで学校にいるの？」

私が尋ねるとアヤノは「いやぁ……」と照れたような仕草をした。

一瞬意味がわからなかったが、考えてみればこんな時期に部活もやっていないアヤノが学校に来る理由など一つだった。

「……もしかしてアヤノちゃんも夏期講習？　一年生なのに？」

「えぇ、そうなんです、すでに成績結構ヤバいみたいで……」

アヤノは地面を見つめ「ふふふ……」と不気味に笑った。

目に輝きがないところを見ると、アヤノの成績は相当マズい事態になっているのだろう。

「……大変だねぇ。察するよ」

「あれ、そういえば貴音さんも夏期講習受けてるってお父さん言ってたような……？」

……本当にあの先生はペラペラと余計なことばかり喋る。自分の娘にならいいわけではないだろうが。

「ま、まぁそれには触れないでおこう？　お互いへこむところだろうし……あ、ちなみに今日はあいついないの？」

私は辺りをキョロキョロと警戒し、あの嫌な雰囲気の持ち主がいないかを探した。

しかしその気配は見当たらないようだった。

「シンタローですか？　いや、あの子めちゃくちゃ頭良いですから夏期講習なんて……」

アヤノはシンタローの話題が出た途端、少しだけ口調のテンションをあげた。なんともわかりやすい子だ。

「あぁ、そういえば頭良いんだったっけ。アヤノちゃんも大変でしょ？　あんなワガママの面倒見るの」

「え～？　そんなことないですよ？　意外と話してみると良い子なんですよ？　ちょっとシャイなだけで」

アヤノはそう言うとニコッと笑った。

あぁ、この子の性格だと将来苦労するだろうな。私には、ただのワガママな子供にしか見えないのだが、この子にとってはそれも可愛いものなんだろう。

「なるほどね。まぁ、それにしてももう少し愛想はよくしたらいいのになぁ……まったく。あいつはアヤノちゃんみたいな子が近くにいると甘えられるし、幸せ者だね」

そう私が言った途端、なぜかアヤノの表情が少し曇った。

もしかして何か、言ってはいけないことを言ってしまっただろうか。

そんなつもりはなかったのだが。

「……いえ、私じゃダメなんです。あの子にはもっと、あの子以上にワガママであの子を引っ張って行ってくれる元気な子がいないと……。私なんていっつも後ろにくっついてるだけで、なにも出来てないですから……」

そういうとアヤノは「エヘヘ」と頭を掻(か)いた。いや、まてまて、アイツよりワガママなやつなんてこの世に存在しないだろう。自分勝手で、意地が悪くて、本音を隠すような、つかみどころのないやつ。……ってあれ……？

「ないわ～……」

「え？　何か言いましたか？」

「あ、え、いや‼　何でもないよ⁉　こっちの話！　っていうかごめんねアヤノちゃん、引き止めちゃって。もうそろそろ帰らないとでしょ？」

私は慌てて手を振ってごまかした。

「あぁ、いえ、こちらこそお話し出来て楽しかったです。そうですね……もう帰ろうとは思ってるんですけど、どうせだったら貴音さん、一緒に帰りませんか？」

「あ、いや……ちょっと今日、遥が倒れちゃってさ。それで先生も今病院にいるんだけど、遥の荷物届けてあげなくちゃいけなくて……」

私がそう言うと、アヤノはハッとしてペコペコと頭を下げた。

「わ、す、すみません！　そうとは知らずに呼び止めてしまって。すぐにでも向かわなくちゃいけないですよね？　遥さん、容態は大丈夫なんですか……？」

「あ、ううん！　まだ意識は戻らないんだけど命に別状はないらしいし、先生もついててくれてるから大丈夫だよ。それに……私が行っても迷惑だろうし……」

何気なく口走った言葉が、酷く自虐的に聞こえてしまって、なぜだか胸が苦しくなった。

なぜそんなことを言ってしまったのだろう。アヤノには関係ないというのに。

「……貴音さん、なにかあったんですか？　迷惑って、遥さんがそんなこと思うわけないじゃないですか」

「うん……でもダメなんだ。合わせる顔なくってさ……だからもう出来れば荷物も受付に渡して帰りたいくらいで……」

我ながらウジウジしていてあきれる。本当はそんなわけないのに。

ふと、アヤノの顔を見ると、いつもの温厚な顔つきとは違い、少しだけ頰をふくれさせ、怒ったような表情をしていた。

初めて見る表情に私はギクッとする。

「貴音さん。貴音さんは自分の気持ちに正直にならなさ過ぎです。本当はどうしたいか、決まってるくせに、怖いから遥さんのせいにしてるだけでしょう？」

ジットリと睨むアヤノの瞳に、私は気圧(けお)された。

「ち、違……」

「いいえ違くありません。ちゃんと遥さんに会って正直に話すべきです。それに……」

そこまで言ってアヤノは何か思い出したのか、物悲しげな表情をした。

そして次の言葉を紡ぎ出すために小さく息を吸う。

「……伝えたくても、間に合わないことだってあるんです。今ならきっと間に合います。だから、勇気出してください」

アヤノはそう言い終わると、いつもの温厚な笑顔に戻っていた。

「アヤノちゃん……」

「まぁ、フラれちゃったら私が慰めますから！　では私はこれで失礼しますね」

少しだけジーンとした気持ちになっていたのだが、アヤノのその言葉で顔が熱くなり、その気持ちは吹き飛んでしまった。

あまりの恥ずかしさにすぐさま弁明しようとしたが、すでにアヤノは駆け足で下駄箱の方に向かって行ってしまっていた。

「な、な……はぅ……言われちゃったなぁ……」

アヤノの姿は見えなくなり、私はうなだれながら、再び理科準備室へ向かい歩き出した。


……私の正直な気持ち。

それはもう誤魔化すのが習慣になっていて、自分でもよくわからなくなっていた。

私には難しすぎる。何をどうしたいのかもわからない。

別に今まで通り、今と同じ教室で、同じように過ごすことが出来ればそれでいい。

だったらいっそのこと波風を立てず、何も言わずこのまま過ごしていた方がいいのではないだろうか。

――私の心では、そんな葛藤が繰り広げられていた。

そう、これもいつものことだ。

いつもそうやって、私は何を伝えることもせず、今まであいつと過ごして来た。

でも本当にこれでいいのだろうか……。


そこにはすでに見慣れた理科準備室のドアがあった。

そう、毎日このドアを開けるところから、私の緊張の一日が始まるのだ。

息を吸い込み、ドアを開ける。

『貴音、おはよう』

瞬きをした瞬間……あいつが私に話しかけたような気がしたが、誰もいない教室の中私たちの机にはやりかけてたゲームと、参考書の山が積んであるだけだった。

心臓がドクンドクンと大きく鳴っていた。

それは多分、私が探していたものだったのかも知れない。


私は廊下に飛び出した。

今、やっとわかったんだ……！

私が今までずっと伝えたかったことが。

今なら言える。

そう、きっと今なら……！

溢れ出しそうな思いに胸がつまり、一刻も早くあいつのところへ向かおうと、

足は地面を蹴った——

……はずだった。

突然廊下の壁がぐにゃりと歪曲し、ものすごい勢いで目の前に地面が近づいて来る。

叩き付けられるほどの衝撃で私の体は地面に倒れ込んだ。

「かっ……は……あッ……!!」

息を上手く吸うことが出来ない。

体を動かそうにも、ピクピクと指先を少し動かすのがやっとだった。

……まさか、まさかこんなタイミングで……！

忘れかけていた恐怖が、脳内を支配し始める。

それと同時に、理不尽なほどの眠気が私の意識を奪い始めた。

……いやだ。……いやだ！

抵抗する術もなく、どんどん薄れて行く意識の中で、

私の両目は最後に、廊下の先に立つぼんやりとした人影を見つめていた。

——なぜ、あの人はここにいるのだろう。

ここにいる筈なんてないのに。

その姿すらも認識することが出来なくなり、いよいよタイムリミットが近づいてくる。

不意にアヤノの「伝えたくても間に合わないことだってある」という言葉を思い出した。

本当に私は大バカだ。こんな簡単なことを伝えるのに、時間をかけすぎた。

薄れゆく意識の中、私は最期のその瞬間まで、その言葉を唱え続けていた。

『――遥、大好き』

ヘッドフォンアクターⅣ

最後の言葉は届いただろうか。

もう確認する術はなかったが、確かに届いた。そんな気がしていた。


不思議な感覚だった。

ぬるま湯の中に浮いているような、空を飛んでいるような……。

そう、まるで何かから目が覚めたような感覚だ。

あれだけ上がっていた息も、千切れそうに痛んでいた足も、いつもイライラさせられていた眠気も……今の私は何も感じることはなかった。


私は死んでしまったのだろうか。

この無限に思える暗闇がもしかして死後の世界というやつなのだろうか……。

もう少しメルヘンな感じを想像していたのだが、案外神様も手を抜くんだな。

せめて明かりくらい付けてくれてもいいのに……。

「はぁ、なんだか全然わけわかんな……あれ⁉　あ！　あ～！　あ～！　……声は出る。え～っと……ん～体も……ある」

私は自分の体をくまなく撫でくり回したが、どうやら体も声もしっかり自覚出来るようだった。

「じゃあ、なんなんだろここ。どっかに閉じ込められてるって感じでもないし……さっき見たの、変な夢だったのかな……」

ふいに私は先ほど体験した壮絶な記憶を思い出した。

阿鼻叫喚の街。

崩れていく空。

不意に聞こえたもう一人の『私』の声……。

思い出しただけでゾワッと鳥肌が立った。

そしてそんなことで私は、「鳥肌が立つんだ」ということに気がついたのだった。

そもそもなぜ、こんな不可思議なことになっているのだろう。

声は出るけど、息を吸っているような感覚はない。

体は触れるが、温度は感じない。

これが「死んだ」ということなのであれば、納得しなくてはいけないのかも知れないが、どうしても理解出来ないことがあった。


あの時、あの廊下で目を覚ます前に、私の身に一体何が起こったのだろうか。

あの感覚は今までに何回か経験したことがある。

「突然眠ってしまったあとに目を覚ました時」の感覚だ。


現に私はあの廊下で目を覚ます前の記憶がすっぽり抜けてしまっている。

恐らく私は「病気」のせいで気を失い、あそこで目を覚ましたのだろう。

それは、今までにも何度かあったことだから、そう大きく驚くことでもないのだが……

今回は目を覚ました後の状況が違っていた。


今までこんな風に夢のような現象に飲み込まれ、暗闇を彷徨(さまよ)うなんてことはなかった。

「ん〜‼　わかんない‼　もうなんなのここ⁉　ちょっと誰か‼　誰かいませんか〜‼」

そう私が叫ぶと、それがきっかけかどうかはわからないが、突如、暗闇の中にポツンと四角いテレビ画面のようなものが浮かび上がった。

その向こうには無数のモニターと、まるで生き物のように配線が張り巡らされた天井が映し出されている。

「う、うわあ！　びっくりしたぁ……なんなのこれ……テレビ？」

近づいてよく見てみると、そこは実験室のような暗い部屋だった。

それぞれのモニターは何かのパラメーターや時間を表示している。

私がその部屋を覗(のぞ)いているこの四角い枠も、その中のモニターの一つなのだろうか。

それすら確認する術がない。

周りは完全な暗闇。四角く切り取られた窓のような画面から見えるこの部屋だけが、今、私が知ることのできる全てだった。

それにしてもあの世界はなんだったのだろう。私はあの時、自分の過ごしていた世界がまるでハリボテのように崩れていく感覚に襲われた。

何か伝えなくてはと必死になっていたその理由も、結局よくわからないままだった。

「ん～……暗くてよく見えないけど……誰か喋ってる？」

ディスプレイの明かりのみで部屋には照明が付いていなかったため、見えるものは限られていた。

ただこの四角い窓からは、微かだが音も聞き取ることが出来るようだ。

「……ズ1はとりあえず成功だな。はっは……まさか一発で上手くいくとはなぁ。一年間かけて準備した甲斐があるってもんだ」

耳をくっつけるような姿勢で聞き取ったその声は、私のよく知る人物のものだった。

「……先生？　なんでこんなところに……」

私は声の主の姿をなんとか確認しようと、姿勢を変えて四角い窓の中に目を凝らした。

僅かだが先ほどより物音の音量は増し、明瞭に聞き取れるようになっていた。

薄暗かった部屋も、まるで目が慣れるかのように徐々に全容が明らかになっていく。

しかし、そこに映し出されたものは、信じられない光景だった。

暗くて見えなかった部屋の奥の方には、大きなレントゲンの機械のようなものが置いてあった。

ベッド部分の上にはそれをまたぐように、白い円形のゲートが設置されている。

針の振れていない心電図のようなモニターと、数個のボタン。ゲートから伸びる複数のコードは、ベッドの上に横になっている体の至る所に、まるで接続するかの様に繋げられていた。

「あれって……わ、私……!?」

その人間は明らかに私だった。白い入院服のようなものを着せられ頭にはヘッドフォンのような形をした機械が着けられていた。

「こ、これってどういうこと⁉　だって私、ここにいるのに……！」

そこで私はハッとした。

まさかこれが「幽霊になった」というやつなのではないだろうか。

現に私の意識はここにあるのに、私の体は間違いなくあのベッドで横になっている。

ということは……。

「まさか、ホントに死んじゃったの……？　うそ……？」

あまりにも衝撃的な光景に私は腰を抜かした。

そして私はここでくだらなくも、「腰を抜かすことが出来る」ということにも気がつく。

まさかあれほど信じていなかった「幽霊」に、自分がなってしまうとは。

あの学園祭の日にやって来た少女もそうすると、本物の幽霊だったのかもしれない。

いや、超能力者だと少年は言っていたっけ？

どちらにしても、超常的な現象があるということを、私は納得するしかなかった。

そして、私は意外と平常心を保っていた。

驚きはしたものの、死んだからといって消滅したわけではない。

現にこうしてものを考え、認識することが出来る以上、私がここに存在していることは間違いないのだ。

「……でもここからどうしたらいいんだろう。さっき、先生の声が聞こえたから、きっとどっかにいる筈なんだけど、なんとか気づいて助けてくれないかなぁ……」

私は再び部屋の中をキョロキョロと観察し始めた、先ほどの感じだともっと右の方から聞こえて来たと思うのだが……。

私は、これでもかと言わんばかりに四角い窓に顔を押し付け、出来る限り右の方を見てみることにした。

すると、部屋の奥の方に、今までは死角になっていて見えなかったものが、はっきりと見ることが出来た。

そこにあったのは巨大な水槽……いや、ホルマリン漬け容器を巨大にしたようなものと、その前に立つ先生の姿だった。しかし、私は探していた先生の姿よりも、その容器の中に入っていた、一人の人間の姿に驚愕した。

「は、遥……⁉」

一瞬遥かと思ったが、しかしその姿は私が知っている遥の姿とは違っていた。

ベッドの上の私同様、体中に管(くだ)を着けられ、俯いたまま水中を揺蕩(たゆた)う……白い髪と薄いピンク色の目を持った青年がそこにいた。

「あれってたしか遥の作った『コノハ』……？　で、でもなんで……⁉」

次から次へと起こる、非現実的な事態に、私はすでに頭が回らなくなっていた。

なぜ私が死んでいる？

なぜコノハがそこにいる？

そしてどうして先生が……？

思考を上手く整理できないでいると、ふたたび四角い窓から先生の声が聞こえて来た。

「ともかく、『鍵』は手に入った。これで次の『カゲロウデイズ』を開けることが出来る。コノハ……お前はまだ……」

そこまで聞こえたところで一瞬、四角い窓に大きく砂嵐が走った。

何事かと四角い窓に手を当てると、薄光で映し出された私の手のシルエットが、まるでブロックノイズのように、端から徐々に崩れ始めているのが見える。

「ひぃ……ッ！　う、うわあああ‼　な、なんなのこれ⁉　体が……！」

次の瞬間、四角い窓の向こうに映った無数のディスプレイには「DELETE」の文字が表示されていた。

「で……デレて⁉　……テヘッ☆」

指示されるままに、私はこれ以上ないというくらいに精一杯にデレてみせた。

——しかし事態は一向に変わらない。

じゃあなんだったのだ、今の指示は……⁉

「ぎゃあああ‼　なんにも変わらない‼　ああぁ、足がなくなる……‼　むっ、胸は……まぁ最初からないけど……」

まるで夢でも見ているかのように、みるみるうちに私の体が消えて行く。

もうわけがわからない。

だが多分これは消えてしまうやつだ。間違いない。

目を覚ましたら自宅のベッドで遅刻寸前ってことはないだろうか。……ないだろうな。

そんな馬鹿なことを考えているうちに、すでに私の体は完全に消滅寸前だった。

なす術もなくなった私はふと「神様！」と呟いたが、その甲斐空しく次の瞬間——

目の前が真っ暗になった。

『……哀れだな小娘。体を失ってなお、生き延びて何の意味がある？』

あぁ、やっぱり体なくなってるんだ……だろうと思ってたけど。

『戻ったところで、お前の居場所など、どこにもないぞ？』

だったら……だったら作るよ。どんな場所だって、そこを私の居場所にすればいいんだ。

『随分傲慢な娘だな。それほどまでに、ここを抜け出したいか？』

そ、そりゃもちろん！　だってこのままじゃわけわかんないし……。

『……抜け出したいのなら「目」を覚ませ……小娘』

——え!?　……っていうかあんた誰？

私が尋ねようとした瞬間、突如目が焼けるように熱くなった。

それと同時に、暗かった世界に稲妻が奔（はし）る。

一瞬目が眩（くら）み、目の前に――ログイン画面が現れる。

それは私にとって、一番馴染みのある光景だった。

「――なるほど、そういうことね。じゃあ……まずは居場所探しかな。出来るだけ退屈しなさそうなところがいいよね」

私は慣れた早さでログイン画面にパスワードを打ち込んで行く。

「ＷＥＬＣＯＭＥ」

すっかり目が覚めた爽快感とともに、私は文字列の海に飛び出した。

蒼（あお）い羅針盤が勢い良く回り始め、０と１の空が広がり、稲妻の鳥が飛び交う。

——私の長い長い電脳紀行は、ここから始まったのだった。

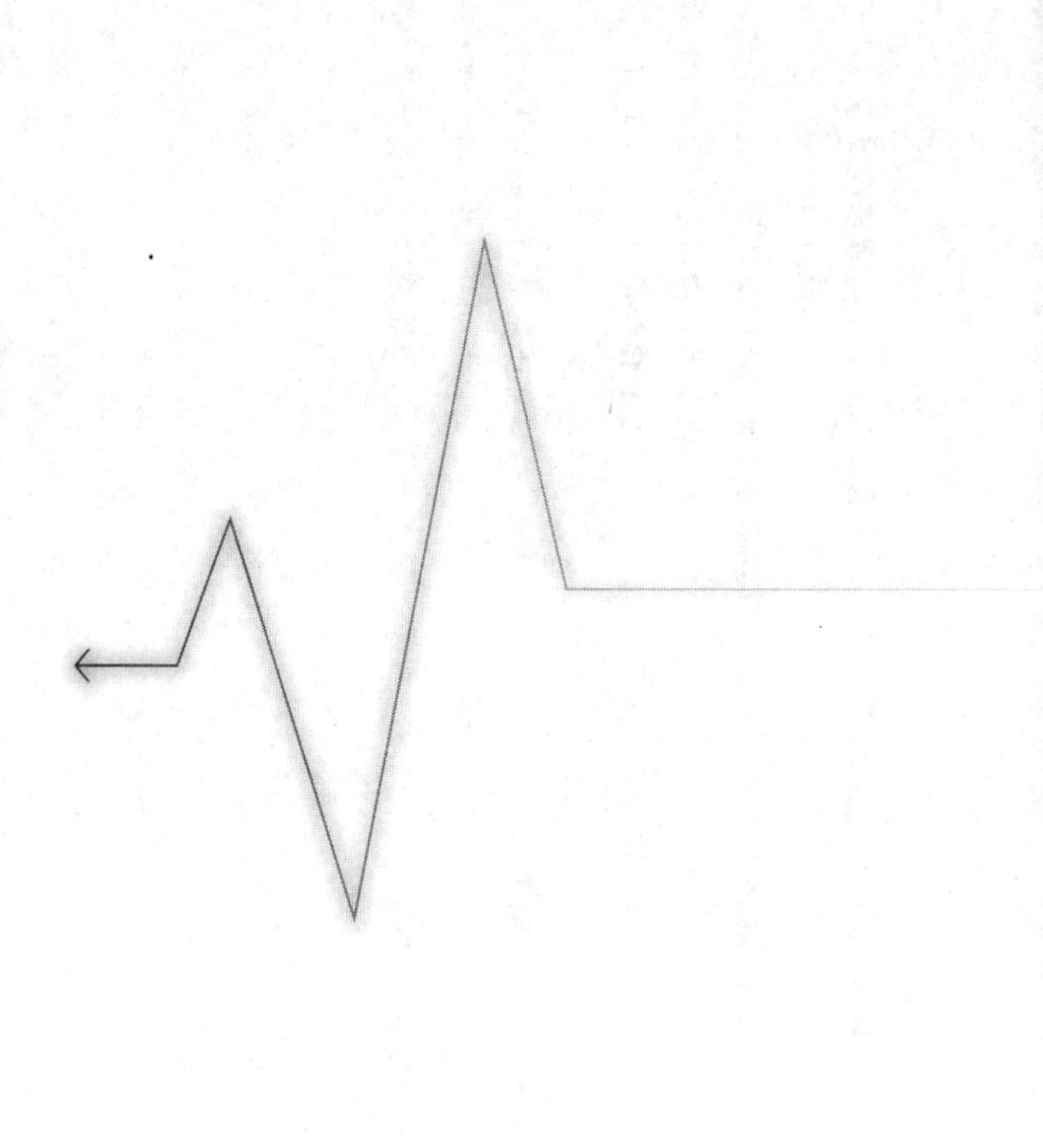

追想フォレスト

8月15日、真夏日。

市街地から少し離れた郊外の道路は人や車の騒音が少ない分、それに代わって蝉の声が盛大に鳴り響いていた。

錆(さ)びた道路標識や小さな民家だけが、果てしなく続く一本道の先々に点在している。

ひび割れの目立つ、十分な舗装がされていない歩道の脇(わき)にはこれもまた手の加えられていない雑草が伸び放題になっていた。

時刻は昼を過ぎた頃だろうか。もう数時間はこの道を歩いている気持ちだが、実際には数十分といったところだろう。

往々にして過酷な状態での体感経過時間というのは、事実よりも引き延ばされて感じてしまうものだ。

──事の発端は昨日に遡る。

オレ、如月シンタローは、おおよそ二年の引きこもり生活から、なぜか外の世界に飛び出すハメになった。

なぜか、とは言っても悪質なウィルス・エネの暴挙でパソコンのパーツが壊れてしまい、近くのデパートに買い物に行くことになってしまった、という至極単純な理由だ。

しかし行き先のデパートで、おそらく何万分の一の確率でしか出くわさないであろう「テロリストの襲撃」に出くわし、人質にされてしまった挙句に銃で撃たれた。

……ここまでの話ですら信用して貰えるかどうかかなり危ういとは思うが、ここからが本筋だ。続けさせてもらう。

銃で撃たれたオレは、その事件現場に居合わせた奇妙な団体に助けられた。

透明人間やらメデューサやらカメレオン男やらが所属している、『メカクシ団』という団体だ。

……明らかにテロリストよりもその団体の方が怪しいのだが、怪我の手当や看病をしてくれたようで、どうやら悪い奴らではないらしい。

――ここまではまだよかった。

色々と突っ込みたい気持ちを最大限に抑えて、「ありがとうございます、それでは」と家に帰り再びヒキニート生活に舌鼓を打つことができれば、様々な疑問も忘れ去ることが出来ただろう。

しかし、「カノ」という男がペラペラと勝手に喋り出した話を「へぇそうなんですか」と適当に聞いていたら、「秘密を知ってしまった以上家に帰すわけにはいかない」という犯罪組織よろしくな展開になってしまったのだ。

――当然オレも反論した。

一晩意識を失っていたオレを看病してくれたことには感謝している。

しかし流石(さすが)にそこまで言いなりになるつもりもないし、久々に部屋から出たショックで精神も体もズタボロに疲弊していた。

そもそも、そんなイカれた話を誰かにしたところで、「お前が一番頭イカれてんだろ」と言われるのは間違いない。

よって他言することはもちろんない。断じてだ。

……が、我が家の疫病神系ウィルス「エネ」が「最高に面白い展開ですねご主人！」とワカリヤスイ反応をして、オレの恥ずかしい秘密情報と共にメカクシ団に入団。

必死の説得もむなしく、泣く泣くオレも入団させられるハメになり、今ではメカクシ団No.7「シンタロー」というポジションを得た。

『母さんオレ友達出来たよ！　メカクシ団って言うのに入ったんだ！　団員No.7だよ！

……え？　オレの歳？　やだなぁ母さん忘れたの？　十八歳だよ！』

――死にたい。これは死にたい。絶対に言えない。

「ねぇ、お兄ちゃんホント見てるだけで暑苦しいんだけど……その服全然イケてないし」

一人モノローグを脳内で繰り広げていると、さっきから横を歩いていた妹「モモ」が、不満げな態度で話しかけてきた。

二つ年下の妹は今年で十六歳になる。ついこの前まで……と言ってもまだ数年前だが、その頃は「お兄ちゃんお兄ちゃん」と甘えたがりの可愛い妹だった。

それが高校に上がった途端、オレに対する態度が急変。

女子高生にありがちな高圧的な態度を取り始めた。

さらにはなんの間違いかアイドルなんてものになり、現在では街中にポスターが貼られるなど、世間からも相当な人気を博しているようだ。

妹の躍進は喜ばしいことでもあったが、あまりにオレとの人種格差が大きくなりすぎたため、最近は会話をする機会もなかなかなくなっていた。

しかし、アイドルとしての活動は相当なストレスだったようで、昨日事務所と話し合いしばらくの休暇をもらったらしい。

あまり友達もいなかったようだが、メカクシ団の連中とは友達同士のような関係らしく、兄としては複雑な気分ではありながらも少し安心していた。

「――ねぇってば。思いっきり汗だくなんだし、もう脱ぎなって。我慢大会してるんじゃないんだからさぁ」

確かにこの気温と流れる汗で、着ているジャージの内部はサウナと化していた。

脱いでしまえばいいのかもしれないが、肌が弱いので日に焼けたくはないし、そもそもこの「ジャージ」という被服文化の究極体、至高のオシャレアイテムを脱ぎ捨てることは、ジャージに魅了された人間であるオレには到底出来なかった。

かつて友人（女子）に、「シンタロー君ってジャージ似合うよね」と褒められたことがそもそもの原因なのだが、今ではある種の呪いのようになっているのかもしれない。

「ね～え～……ちょっと！　お兄ちゃん聞いてる⁉　暑苦しいって！」

執拗にオレに文句を言ってくるところをみると、恐らくこいつは暑さやら疲労やらへの不満をオレにぶつけてきているのだろう。

気持ちはわかるがどっこいオレも同じ状態なのだ。言われっぱなしもそろそろ癪なので、妹の挑発に乗ってやることにする。

「別に直接迷惑かけてないだろ？　っつ～かお前こそ何だよその服……バラエティ番組の罰ゲームみたいになってんぞ？」

モモが着ている、胸に大きく『鎖国』と書かれたパーカーは、芸人でも着ないレベルのダサさだった。

他人が見れば恐らく「あ、この人相当悪いことした罰をくらってるんだ……」と勘違いするだろう。

「はぁ？　この服のかわいさがわからないとか……やっぱりお兄ちゃんセンスないよ！　っていうかお兄ちゃんこそ、そのジャージ、お笑い芸人のヒッチハイク企画のつもり？　どっかの農家さんでも訪ねて野菜の美味しさで号泣してきなよ」

よほどその服を気に入っているのか、モモもかなり尖った口調で応戦してきた。しかしジャージの尊厳を守るためにも、ここは負けるわけにはいかない。

とっておきのモモの「弱点」をついてやることにしよう。

「うるせぇよ。知ってんだぞ、お前、毎晩一人でゲームのプレイ実況動画観て笑ってんの。あれ気持ち悪りぃよ。あたりめ喰いながら部屋暗くしてさ。おっさんかっての……」

オレからの予想外の口撃を喰らったモモは、大きく焦りを見せ始める。

「ちょっ……なんで⁉　なんでそんなこと知ってるの⁉」

強気だったモモの顔は一瞬で青ざめ、今はどんどん赤くなっている最中だった。

オレは追い討ちをかけるように続ける。

「いや、トイレ行こうと思ってお前の部屋の前通った時『ふ……ふふ……』って変な声が聞こえて来るんだもんよ。ドアも半開きだったし、目に入るだろそりゃ」

そう言い終わると、モモは何も言い返せないという表情でワナワナと拳を握りしめた。

勝った。所詮は妹だ。兄に敵うはずなどない。

「さ……さいっあく!!　信じらんない!!　っていうかそういうお兄ちゃんこそ普段どうせいやらしい画像ばっか見てるんでしょ!?　エネちゃん言ってたよ!?　『ご主人の性欲にはリミットというものがないようで』って！　すっごい恥ずかしいんだけど!!」

戦いに勝った高揚感から一転、どん底まで叩き落とされた。暑さによる汗を押しのけて一気に冷や汗が噴き出てくる。

「お、お、お、お前何言って……！」

「別に言った通りだけど!?」

「いっ、言った通りって……!?　あ、あぁ～なるほど。それ変な広告クリックしちゃった時だろ!?　いやぁ間違いは誰にでもあるって！」

「へぇ……一日に何回も間違えるんだ。エネちゃんは『ご主人はその度にかなりの頻度でそわそわと部屋出ていく』って……」

頭の中の非常ベルが激しく鳴り始めた。

オレ、如月シンタローは間違いなく生命の危機に瀕(ひん)している！　今すぐにでもポケットに入っているこの携帯をドブに投げ捨てたいが、それよりも今は話題を変えねば。モモはオレに対してすでにゴミを見るような眼差(まなざ)しを向けているが、まだチャンスはあるはずだ。まだ何か……！

「な〜に楽しそうに話してんすか‼　いやぁさすが兄妹、ホント仲良しっすね！」

「いでぇっ！」

後ろからいきなり背中を叩かれ、驚いて飛び上がった。

慌てて振り向くと、もこもことした白い塊のようなものを背負った、緑色のつなぎ姿の大柄な青年が、爽やかな笑顔をこちらに向けている。

それはオレの入団したメカクシ団の青年だった。

そういえばこいつはさっきから後ろにいたはずだ。ということは、会話も聞こえていたはず……。もしかして妹に責められるオレに助け舟を出してくれたのだろうか。

「……あんたは……ええとゼットさんだっけ？」

会話を試みようとうろ覚えで名前を言ったのは失敗だった。どうやら違っていたようで、瞬時に放たれたモモの肘鉄が脇腹にめり込む。

「ぐふっ」といううめき声と共に、勢いよく口から空気が飛び出していった。

「セットさんだって！　朝紹介したばっかでしょ⁉　ったくお兄ちゃんは人の名前ホントに覚えないんだから……！」

失礼なやつだと言わんばかりの表情で、モモが睨み付けてくる。しかし説教を続けようとしたところで、つなぎ男の背中のもこもことした白い塊から、不満げな声が聞こえた。

鎖
大江戸

「……違うよ、セトだよ……」

セトと呼ばれた男の肩越しに、ピンクの目だけがこちらを覗いていた。

もこもこの白いロングヘアーの正体であるマリーは、ムスッとした表情で訂正を続ける。

「セトだもん……名前間違えたら……かわいそう」

じっとりとマリーに見つめられたモモは、ギクリとした表情を浮かべた。

一瞬、オレの顔色を横目で確認したのが見て取れる。

「はははは！　いいんすよマリー。かっこいいじゃないっすかセット！」

セトは全く何も気にしていない様子でなだめる。

マリーは「むぅ……」と少々腑に落ちない様子で、セトの肩に顔を埋め再び黙りこんだ。

一瞬の沈黙が流れる……それを無視してモモは無言で歩くスピードを上げようとするが、そうはさせない。

「……おい」

不満を孕ませた口調でモモに詰め寄る。それはそうだ。肘鉄まで喰らって正された名前が大間違いだったのだ。誰でも怒る。

「どういうことなんだよ……」

「お、お兄ちゃんだって間違ってたでしょ⁉　私の方がちょっと近いし……」

「近いとか遠いとかの問題じゃないだろ‼　なんだよセットって！」

不毛な言い合いをするオレたちを見て、セトが「ハッハッハ！」と豪快に笑った。

今朝会ったばかりだが、セトは裏表がないというか、何事に対してもそれを受け入れるだけの「度量」を持っているようだった。

盛大に笑い飛ばされてしまい、モモとオレは下らない言い合いをしていたことに非常に恥ずかしい気持ちになる。

「うぅ……セトさんすみません、名前間違っちゃって……。マリーちゃんも、嫌な気分にさせちゃってごめんね……？」

モモがくるりと振り返り、二人に謝る。

マリーはセトの肩から顔を上げ「……セットもちょっとかっこいいかも」と呟いた。

それを聞いたモモは、ホッと肩をなで下ろす。

「それにしてもあんた、よくこのクソ暑いのに人なんか背負って歩けるな」

「え？　あぁ、俺普段からバイトで色々担いだりするんで全然平気っすよ。マリーなんて軽いんで楽なもんっす！」

確かにセトは体格が良い。二年間の自宅警備業務で鍛えられたオレの細腕では、女の子どころか乳幼児すら担ぐのがやっとだろうというのに大したものだ。

視界の端でモモが、オレとセトを交互に見た後「ふっ」と鼻で笑ったのは見えなかったことにしよう。うん。

「でもマリーもダメっすよ？　ちゃんと日頃から運動しないから、今日みたいにすぐバテたりするんすよ」

「う、うん……今度からちょっとずつお散歩する……」

マリーは家を出てものの数分でダウンし、それ以降ずっとおぶられっぱなしだった。

この子はどうやら普段からあまり外出しない娘らしい。

えも言われぬ親近感が湧いたが、箱入り娘とヒキニートでは人種の階級に天と地ほどの差がある。……無念だ。

周囲で鳴き喚く蟬の声が一層騒がしくなってきた。

すでに、街の中心部からはかなりの距離を離れただろう。

歩道の横には、ちらほらと規模の小さい林のようなものが現れ始めて、民家の数も大分少なくなった。

ほんの少し歩いただけでこれほど田舎じみてくるのだ、昨日も感じたが改めて街の中心部の発展具合を異様に感じる。

モモが手に持っている少し古めのタッチパネル式の携帯電話は、昨日、お茶をぶちまけられて死線を彷徨（さまよ）ったらしい。しかし「乾燥剤と一緒に袋に入れておいたら復活した」ということだそうだ。

「でも皆ホントごめんね。私のせいで歩かせることになって……」

モモが少し俯き気味で呟いた。

確かにバスで来れば早かっただろうが、キドの「目を隠す」能力は、「人にぶつかった瞬間にとけてしまう」という弱点があるらしく、バスの中のような密閉された空間で使うのは危険だということから、歩いて向かうことになった。

そもそも、今日の予定は当初「昨日買い物に行ったデパートの屋上遊園地で遊ぼう！」というものだったが、テロリストの襲撃が起こった昨日の今日でデパートが営業しているはずもなく、破綻。

しかし、「すぐじゃないといやです！」というエネのワガママにより、代替案で郊外にある遊園地に行くことになった。

団長の「キド」と、もう一人の団員「カノ」という男は少し遅れてくるということで、現在は残りのメンバーで遊園地を目指している。

モモに関してはそもそも人通りがほとんどない道を歩いて来ているので、この辺りなら特に問題なく出歩けるようだ。

「……カノさんは『森林公園をそのまま遊園地にしたような感じ』って言ってたけど……っていうかアレじゃない⁉　ほら！　なんか観覧車見えてるし！」

モモがハッとして右前方を指差した。

その先には大きな森が広がっており、木々の群れの中に、確かにジェットコースターのレールなど、いかにもなものがチラホラと見える。

「お、そうみたいっすね！　ほら、マリー着いたっすよ！」

セトが背負っているマリーをゆさゆさと揺らすと、マリーは顔を上げ「ほんとだー！すごいすごい！」と目を輝かせた。

「そういえばずいぶんエネちゃん静かだね。さっきから全然喋ってないけど大丈夫？」

「電池を消耗したくないんだとよ。着いたら教えてください！　って言ったっきりだ」

今日も今日とてギャーギャー喚くのかと思っていたが、こいつの弱点も意外なところにあったもんだ。

「なるほどね。じゃあもうそろそろ起こしてあげないと……あ！　あれ団長さんかも」

　前方、四十メートルほど先に「自然遊園地」と大きく書かれた看板があり、その下には送迎バスの停留所がある。ちょうど停車したバスからぞろぞろと降りてくる家族連れの中に、見覚えのある二人組がいた。

「やっぱりそうだ！　うわわ、人も沢山降りて来た……！　ちょっと電話するね！」

　モモは慌ててフードを被り、電話をかけ始める。

「あ、もしもし団長さんですか？　今もうゲートの近くにいます……。はい！　そうですそうです。じゃあここで待ってるのでよろしくお願いします！」

　電話が終わると、モモはそわそわと辺りを見回した。バスを降りた客はオレたちの方に流れてくることもなく、遊園地の入り口へと吸い込まれて行く。

　その中から先ほどの二人が、こっちへ向かい歩いてくるのが見えた。

「つまりキドの能力があれば、遊園地でも楽しく遊べる……ってことか」

「そ！　そういうこと！」

　モモはまるで子供のような笑顔を、フードの奥から覗かせた。

＊

——息も絶え絶えでベンチを見つけ、腰をかけた。

生い茂る木々によって日陰になっていたため、背もたれから少し湿ったひんやりとした温度が伝わる。

大きく深呼吸をした。まだ三半規管が正常に働いていないのか……いまだに船に乗っているかのような感覚が残っており、再び吐き気がこみ上げる。

「シンタローさん大丈夫っすか？　全くマリーたちもいきなり飛ばしすぎっす。いきなりジェットコースターに乗るなんて……」

オレの左側に腰掛けたセトが、水の入ったペットボトルを差し出してゴシゴシと背中をさする。

「いやぁ、シンタロー君くくっ……ホント気にしなくていいと思うよ。ふふ……」

オレを挟み込むように右側に腰掛けたカノは、両手を後頭部で組み悪意に満ちた励ましを投げかけてくる。

「カノ、失礼っすよ？　絶叫マシンに弱い人もいるんす。ちょっと吐いたぐらいで馬鹿にしちゃあかわいそうっすよ」

「も……もう言わないで……頼むから……」

セトの良心から出たであろう注意も、「ゲロを吐いた」という事実を言葉にしたことでオレへの精神的ダメージにしかならなかった。もう死にたい。

「あぁ、ごめんごめん。シンタロー君がいじり甲斐がありすぎるもんだからさ。にしてもマリーが絶叫系大丈夫だったのは意外だったよ。キドは案の定顔ひきつってたけどね」

その言葉で女子組の顔が浮かび、さらに羞恥心がこみ上げてくる。あんな痴態を見られたのだ。もうダメだ。

「キドはかっこつけっすからね。でも大人数でこうして遊ぶっていうのも、なかなかいいもんっすねぇ！」

相変わらずゴシゴシとオレの背中をさすりながら、感慨深そうにセトは言った。

いいもんなものか。おかげでこっちは嘔吐マンだ。

「確かに、何気に初めてじゃんこんなの。セトも毎日バイトで大変そうだしさ？　昨日も帰り遅かったでしょ？」

「そうっすね。……にしても昨日は帰ってきたら人がいっぱいいるもんだから、びっくりしたっすよ！」

「そういえば団員加入ってマリー以来数年ぶりかぁ。人数増えてキドも超嬉しそうだし、ありがたいね。で、セト的にキサラギちゃんはどう？」

うずくまるオレの背中の上でセトとカノの楽しげな会話が飛び交うが、話題に上がったモモの冷ややかな顔を思い出してしまい、とても会話に混ざる気にはなれなかった。

「本当に礼儀正しい良い子っすよ！　引っ込み思案のマリーが紹介してくれたことも驚いたっすけど、まさかアイドルだったとは！」

「ね、キドが連れて来た時はホントビックリしたよ？　キドのあの焦った顔……くくっ」

カノは非常に楽しそうにクスクスと笑っていたが、こっちは今にも泣き出しそうだ。

「あ、あとはエネちゃんね！　あの子もぶっ飛んでて良いキャラだよねぇ！　でもあれ、どうなってるんだろう？　どっかから動かしてるのかな？」

「携帯の中にいる子っすね！　う～ん……？　なんか本当に携帯の中に住んでるみたいに見えるっすけど……」

エネの話題が出た途端オレの目からは涙が溢れ出した。あいつは確実にさっきの痴態を忘れない。おそらくオレが墓に入るまでいじり倒すだろう。

「やっぱり携帯の中にいるように見えるよね。ねぇ、あれどうなってるのシンタロー君。……ってなに⁉　なんで泣いてんの⁉」

オレの顔を覗き込んできたカノの表情には、どうみても「面白いもの見～つけた‼」と書いてあった。本当に陰湿なやつだ。

阿吽
……。

さり気なく背中に手を回してくるあたりも非常に気持ち悪い。

「う、うるせえな！　なんでもねえよ‼　……で、エネがなんだって？」

気持ちを切り替え、カノの質問に応える。……このまま会話に混ざれば少しは気持ちも晴れるかもしれない。

「え？　あぁ！　そうそうエネちゃん！　あの子ってどういう経緯で知り合ったわけ⁉　やっぱり最近流行のあれ？　出会い系サイトとか⁉」

「んなわけねえだろ！　なんか知らねえけど結構前からパソコンに住み着いてんだよ……。どっから来たのかも何者なのかもわかんねえし、聞いても答えねえ」

全くもって疑問は解決しない返答だったが、カノは「ほうほう」と納得したようだった。

「なるほど～ってことはあれだね？　シンタロー君がエネちゃんのプライベートな過去をグチグチ聞いたせいで、エネちゃんは怒った。という……」

「いや！　お前何聞いてたの⁉　今の話にそんな要素なかっただろ⁉　過去のことは別にいいんだよ。話したくねえなら……」

あまりの理解力のなさにオレは突っ込むが、カノはヘラヘラしながら「冗談冗談！」と背中を叩いてくる。

ああ、この感覚はあれだ。よく言う『考えなしに入部した部活の先輩が、とんでもなくめんどくさいやつだったので早くも退部したい感』だ。

「まぁまぁ。喧嘩(けんか)は良くないっす……あ、シンタローさん水なくなっちゃったっすね！　俺買ってくるっすよ！」

セトにそう言われて気づいたが、水が入っていたペットボトルの中身は、もうほとんど空(から)になっていた。

「おぉ、いや、申し訳ないし自分で行くよ……」

流石に介抱されっぱなしでは心が痛いので、ベンチから立ち上がろうとするが、セトに肩を押さえられ再び座らされる。

「いいんすいいんす！　休んでてください！　俺もちょっと飲み物買いたいので！」

セトは清涼飲料水のＣＭばりの爽やかな笑顔でそう言うと、すたすたと歩いていった。

「あ！　ちょっ……とりあえず金を……」

慌ててポケットを探り財布を取り出したが、すでにセトは離れたところまで行っており「後で頂くっす！」と手を振って人ごみに消えて行った。

「セトはせわしないなぁ、まったく」

カノはふわぁとアクビをして、再び後頭部で腕を組んだ。

オレも特に会話をしようとはせずに黙り込んだ。なにか喋りかければ、恐らくこいつはそれを火種にしてペラペラと喋り出すだろう。しかしそれは正直非常にめんどくさいので、出来る限りこいつとのコミュニケーションは避けるようにしたかった。


そういえば、昨日もこいつと二人で人質になって座っていたことを思い出す。

人質というあの危機的な状況でも、カノは今と同じようにリラックスした様子だった。

モモに聞いた話だと、この「メカクシ団」の連中は全員オレより年下らしい。

確かに「団員皆で遊園地に行こう！」などと言い出すあたりは、相当子供っぽい。

しかし、デパートを占拠していたテロリストを撃退した話や、それぞれの持っている「能力」の話を聞く限り、ただの「おふざけ集団」ではないように思える。


――そもそもこの団体は何をする団体で、一体なぜ結成されたのだろう。


この団体は、マリーが入るまでキド、セト、カノの三人だけだったという。

現状の人数はオレ含め七人。そしてオレ以外の全員が「何かしらの能力」を持っている。

団員は基本的には団長であるキドに従う。

わかっていることはそれだけだった。

エネやモモは特にこの団の活動内容について気にしていない様子だったが、あの二人は「物事を考える」と言う機能が著しく欠損しているだろうし、あてにはならない。

そう考えると「謎の団に加入し何も知らずに打ち解けている」というこの現状が、少々危険なものに思えてきた。

少しの時間ではあるが、交流を持った限りこいつらは悪い奴らではないように思える。オレではどうしようも出来なかったモモの「能力」のことを、親身になって悩んでくれている様は、友達の姿そのものだった。

自分たちの利益のために、何かの犯罪行為を主とする団体だとはあまり考えたくはない。

ただ、その「能力」に関して、こいつらがやけに詳しい理由も不明だ。

モモの能力は気づいたら目立ち始めていたくらいで、明確に現れ出した時期や原因は、本人にも、当然オレにもわかっていない。

しかしこいつらの口ぶりはまるで、この「能力」の正体を知っているかのようだ。

だとしたらこいつらは本当に一体何者なのだろう……。

「ほい！　シンタローさん、水買って来たっすよっ！」

オレが精一杯シリアスな雰囲気になりこいつらの謎を暴こうとしていたところで、セトの買って来た水のペットボトルが首元にピタリとあてられた。

「ぎゃあああああああああ!!　ビックリしたぁ!!　お、おま……ちょっと空気読めよ!!い、今ちょっといい感じにシリアスだっただろ!!」

「へ？　おぉ、それは申し訳ないっす。いやいや隙だらけだったもんすから……」

セトは全く悪びれる様子もなく「ニッ」と爽やかな笑顔をかまし、親指を立てた。

「いや、お前は武士か!?　ってあああ、なに考えてたか忘れちまった。はぁ、まぁいいか。とりあえずは……」

少し張りつめていた分、圧倒的な虚脱感に襲われる。オレは恐らくシリアスキャラには向いていないんだろう。

「まぁまぁシンタローさん、今日は楽しまなきゃ損っすよ？　なんなら俺も付き合うんで一緒に絶叫マシン特訓でもどうっすか！」

こいつはオレのどこにその話に乗る可能性を見いだしたのか、その瞳はなぜかメラメラと火がついたように煌めいている。

一方カノは、「十八歳でアトラクションの特訓ね……」と呟き、時間差で「ぶっ!!」と吹き出した。

「少なくとも来世まで乗らねえ!!　……っつうかお前らオレに付き合ってなくていいからどっか回ってこいよ……」

とりあえずこいつらといると、ろくなことになる気がしない。

そうだ、どうせだし、たまには一人でのんびりするのもいいだろう。

いや、待てよ？　今エネはモモの携帯に移っているし、そういえば完全に一人になれるなんてチャンスは……。


「――今しかねえ！」


そう口に出した瞬間、突如としてオレの「一人になりたい欲求」が燃え上がった。

そうだ。思えばいつもいつもエネにつきまとわれて、完全に一人になるなんてことは、ここしばらくはなかったのだ。

どうせだったらこのまま一人、羽を伸ばすことに徹するべきなのではないだろうか。

決心したオレは勢いよくベンチから立ち上がった。

カノがビクッと肩を揺らし、怪訝(けげん)そうな表情でこちらを見る。

「え、なになに……？　いきなりどうしたのシンタロー君………発作？」

「なんでだよ！　いや、ちょっと一人でブラブラして来ようと思ってな!!　悪いが付いてこないでくれ！　じゃ！」

オレはそう言うとスタスタとあいつらから離れ、人ごみに紛れ込んだ。

そのままどんどん人の波をかき分け、完全に見えなくなるであろうところまで進む。

やった……！　思いがけぬところで念願の一人の時間を手に入れることが出来たのだ。

あぁ、思えばプライベートなんてかれこれどのくらいぶりだろう。

エネのせいで風呂とトイレ以外の全ての時間は、いつも何かに怯(おび)えながら過ごしていた。

ベッドで寝ていれば叩き起こされ、ネットを使えばすぐさま邪魔をされ、いかがわしいサイトを見ようものなら妹にちくられる……。

——しかし今日、やっとその呪縛から解き放たれたのだ。

「あああああサイコオオオオオ‼」と叫びたい気持ちを押し殺し、改めて辺りを見回す。

そうだ、どうせこれだけ自然豊かな遊園地ならば、のんびり昼寝出来そうな場所くらいあるだろう。いや、今はあいつがいないのだから、のんびりネットもし放題じゃないか⁉

あああ……まさに天国。今日はここに来て本当によかった……！

世の中は素晴らしいことで満ちあふれている。そうだ、今日も素晴らしい一日になるに違いない。

きっとこれは、普段頑張っているオレに神様がくれたプレゼン——。

「ねぇ……」

うるさいな、今ちょうどいいところなんだから話しかけるなよ。

あぁ……今日はなんて素晴らし——！

「ねぇっ……。シンタロー聞こえてないの？」

──名前を呼ばれたことで一気に我に返った。

あまりの開放感に危ない世界に片足を突っ込みそうになっていたが、その声のおかげで後一歩踏みとどまることが出来た。

……一体誰が？

辺りをぐるりと見回すと、非常にわかりやすい白いもこもこした髪の毛の少女が涙目になって立っていた。

「……なんで無視するの……？」

「え、あ、あああごめんごめん！　ええと……そうマリー!!　泣くなよ！　な？」

マリーはものすごい不機嫌そうな顔をしているが、これはオレが少しの間反応しなかったせいだろうか？　謝りはしたもののマリーは相変わらずムスッとした表情のまま、目に涙を溜めていた。

「……な、なんでそんな不機嫌そうなんだよ……？　なんかあったのか？」

オレがそう聞くとマリーはコクリと頷(うなず)いて、自分の右手の方向を指差した。

そこには遊園地のアトラクションの一つなのであろう「氷の大迷宮」という巨大な看板と共に、氷で出来た城のような、巨大な建造物が建っていた。

「あれがなんなんだよ……入りたいってことか？」

オレが言い終わるか言い終わらないかのタイミングで、マリーはコクコクと激しく頷いた。

……正直「じゃあ入ればいいだろ？」と言ってその場を去りたかった。折角手に入れた一人の時間を、なぜあんな子供向けのアトラクションに奪われなくてはいけないのか。

少なくとも、ちょっと前のオレならそうしていた。

だがしかし、オレが今ここでそれを言うと、この子は多分泣き出すだろう。

……するとどうなるか。簡単なことだ、周りの人からしてみると、オレは無垢な少女に暴行をはたらきかけている変質者にしか見えないだろう。

当然警備員に連行されるのは確実だ、さらに明かされるオレのスキルたち「高校中退！」「無職！」「引きこもり！」「童貞！」………。

それを踏まえると待ち受けているのは社会的な『死』だ。

言い逃れのしようもない。

「……わかった。マリー、あれに一緒に入れば、それで満足なのか？」

「うん！　入りたい！　一緒に行こう？」

そう言うとマリーの表情はパッと明るくなり、潤んでいたピンク色の瞳は、キラキラと輝きながらオレを見つめた。

そんなことで男シンタロー（童貞）の心臓はわかりやすくも「ドキン！」と高鳴る。

クソ……無念だ。


しかしオレの手持ちスキルはもうすでに一杯。

残念ながらこれ以上「ロリコン」スキルをはめ込める空きスロットは存在してはいない。

あばよ、「ロリコン」スキル。

そのうち「童貞」スキルがなくなった時にでも、また声をかけてくれ……！


——ということで、特にやましい気持ちも一切なく、オレとマリーは「氷の大迷宮」の列に並ぶことにした。

どうやらそれほど人気のアトラクションでもないようで、列の人数的にもそうそう中に入るのに時間がかかることはなさそうだった。

しかし、ふと気になったことがある。オレがゲロを……吐いた……時以降……女子組は確か団体行動を取っていたのではなかっただろうか。

まさか喧嘩なんてしては……いないだろうな。そんなことになっていたとしたら、多分この子の感じだとひたすら泣いているだろう。

「なぁ、他の奴らはどうしたんだ？　なんでお前一人でこんなところにいるんだよ」

「え？　あ、ええとねぇ。あの後またジェットコースターに乗ったんだけど、私一人だけ違う列に入っちゃって、分かれちゃったの」

マリーは入り口で貰ったパンフレットをひたすらジッと眺めながら、こちらを見ることもなくそう言った。

見たところ行きたいアトラクションに、赤ペンで○をつけている最中のようだった。

……い、意外と活発なんだなこの子。一人ででも全部回る気だぞ……。

なぜか勝手に「みんなと一緒じゃなきゃ嫌だよぅ」とか言ってそうなイメージを持っていたオレは、なぜだか少し切ない気分に襲われた。

「そ、そっか。まぁ、モモとキドが一緒にいるんなら安心だな……。にしてもなんでこのアトラクションはオレとじゃなきゃダメなんだ？」

オレがそう尋ねると、マリーは相当パンフレットに集中してるのか、口で答えることもせず、入り口の看板付近を無言で指差す。

その先を目で追うと、そこには「二人一組限定」と書かれた張り紙が張ってあった。

なるほど。こういった縛りがあるアトラクションがあるのか。

まぁ、誘われた理由もこんなことだろうとは思っていたが……オレはまたしても少々切ない気分に襲われた。

列が進み、いよいよ次の番ともなって来ると、さすがに少しワクワクする。

そういえば遊園地に来ること自体、相当久しぶりだった。

……さらに言えば女の子と二人でアトラクションを経験するのは、これが初めてである。

ちらりとマリーの方を向くと、マリーはすでにパンフレットをしまい、目の前に迫ったアトラクションに興奮が抑えられないという様子だった。

「し、シンタローここ大迷宮なんだよね……念のために早めにお茶とか飲んでおいた方がいいかな……!?」

「あ？　そうだな。念のため飲んでおけばいいんじゃないか？」

オレがそう言うと、マリーはぶら下げていたポーチから水筒を取り出し、「よしっ」と言って飲み出そうとした。

なんだかんだこの子は基本的に純粋なんだな……だがしかし……。

クソ……ッ！　来るな「ロリコン」スキルめ！　お前に用はないと言っただろう!!

「はい、次の方どうぞ～」

そう言って係員の人が、アトラクションのドアを開いた。

思った以上にひんやりした空気が、ドアの向こうから流れ出てくる。


いつの間にかもうオレたちの番になっていたのか。

オレはハッとしてマリーを見るが、案の定、慌て過ぎて水筒のふたを上手く閉めれずに、あたふたしていた。

「お、おい、マリー。次の人もいるんだし、中に入ってから水筒のふた閉めようぜ……」

「わ、わかった……！」

そう言うとマリーはトタトタと、扉の中に入って行った。

オレも続けて扉をくぐると、そこは予想以上に本格的な氷の迷宮だった。

大小さまざまな氷柱（つらら）が立ち並ぶ通路は、まるでＲＰＧのダンジョンのように非現実的な世界を演出していた。

イメージしていたよりも強力な冷気が火照（ほて）った体を冷やして行く。

恐らくマイナス二十度近くはあるだろう。

「うおおお、結構涼しいなぁ。よかったな、マリー。お前さっき相当暑がって、た……」

そこまで言いかけてオレは目の前の光景を疑った。

そこには入って数秒なのにもかかわらず、水筒を手にしたまま青ざめた表情で体を震わせているマリーの姿があった。

「さ……さっささ……さむ……むむい……し……死んじゃう……！」

「……お前何しに来たの？」

目の前の光景に唖然としてしまった。この子……こんなに寒がりだったのか。

だとしたら、なんでわざわざこんなアトラクションを選んだんだろう。

「ここ……こんなにさ、寒いって……思わなくって……」

「…………」

まだ迷宮の「め」の字にも差し掛かっていないのに、すでにマリーは違う意味でゴールしそうになっていた。

「いやそんないきなり凍えるほどでもないだろ！　っていうか、とりあえずその水筒落としたら危ないから、こっちによこせ」

震えるマリーが手に持っている水筒は、いつ滑り落ちてもおかしくなさそうだった。

ふたも開きっ放しだし、落としたら中身は全て零れてしまうだろう。

この極寒仕様の中で飲み物なんかこぼした日には、地面に氷が張ってしまい他のお客の迷惑になってしまう。

「う、うん……ありが……へ……ヘクチッ‼」

しかしマリーが盛大にくしゃみをした瞬間。水筒を受け取ろうと少し屈んでいたオレの脳天へと、――お茶が降り注いだ。


「――ひぎゃあああああ‼」

予想だにしていなかった事態に、思わず飛び跳ねる。

この温度の中、冷たいお茶を浴びたことで、一気に周りは極寒の地獄へと変貌した。

「な、なななにやって……あ、あ、あああ！　さ、ささ、さむ……」

急激に体温が低下したことにより、体がガクガクと震え始める。

「ひ、ひぃッ‼　ご、ごめんなさいごめんさい‼　ふ、拭くもの……」

マリーがどこぞの猫っぽいロボのように、ポーチからポンポンと色々なものを取り出している中、お茶の水分によって湿ったオレのジャージは、みるみる凍り始めていた。

「うわあああああああ!!　ジャ……ジャージがあああああ!!」

「ひえええええ!!　ごめんなさいごめんなさいごめんなさいごめんなさいごめんなさ……」

＊

散々な目にあった。結局オレとマリーはリタイアしたが、アトラクションを出てすぐにオレが怒る間もなく、マリーは姿を消していた。

「やっぱりあの子、ちょっと当初とイメージが違う……なんかすごい……アレだ……」

恐らくもうマリーは次のアトラクションを楽しんでいるのだろう。

そういうわけでまた一人になったオレは、服を乾かすために園内を散歩していた。

さきほどはちょっとしたイレギュラーで酷い目にあったが、今度こそは絶対に侵されぬ究極のプライベートタイムを──。

「し、シンタロー……いいところに……!　ちょ、ちょっと来てくれ……」

クレープの屋台の前を通ったところでまたもや名前を呼ばれる。特徴的なハスキー声は、振り向かずとも十分に何者なのかが把握出来た。

「なんだよキド……ってあれ⁉　モモは？　お前と一緒にいないってことは……」

振り向いた先には、汗だくで息を切らすキドが立っていた。

流石に暑かったのかフードを外しており、解放されたロングの髪が風になびいている。

しかし、そこにモモの姿はなかった。あいつはキドの側にいないと自分の能力のせいでどんどん人を集めてしまうというのに……。

「そうなんだ……キサラギがちょっと面倒なことになってな……頼む！　お前の力が必要なんだ。とにかく来てくれ……‼」

モモが面倒なことに？　いや、あいつが起こしそうな面倒はだいたい予想がつくのだが、それはオレが行ってどうこうなるものなのか？

この遊園地のどこかで巨大な人だかりを作ってしまったなんてことであれば、それこそオレが行ったところでなんの役にも立たないと思うが……。

しかしキドの表情は、本人には似つかわしくない「本当にオレしか頼る人がいない」と懇願するかのような弱々しいものだった。

……しょうがない。とにもかくにも向かってみることにしよう。

なにせオレは、「お前の力が必要なんだ」という言葉にめっぽう弱かった。

＊

――キドに連れられ園内を移動すること約三分。

オレたちは、アトラクションの一つ「怪奇・亡霊人形の館」の入り口前に立っていた。

まさに遊園地の定番と言わんばかりの不気味な洋館風の建物の周りには、墓石や斧など、いかにもな装飾品がちりばめられている。

館の中からは時折お客のものと思われる悲鳴が聞こえ、このアトラクションの不気味な雰囲気を一層かき立てていた。

「……あのさぁ」

そう言ってオレはため息をついた。

「な、なんだシンタロー、ちょっとよく聞こえないから大きな声で喋ってくれ！」

順番待ちをすること十分。

残り三組でオレたちの番というところになって、キドはおもむろにイヤホンを着け始めた。

それ以降、ブツブツ何かをつぶやいたり、たまに何かを思い出したかのようにギュッと目をつぶったりを繰り返している。

「……お前怖がりだろ」

現状から判断したオレの感想を、はっきり聞こえるよう少し大きめの声で言うとキドはビクンと肩を大きく揺らした。

「ば、馬鹿か!!　別にそういうわけじゃない！　客の悲鳴が耳にうるさかっただけだ！　こ、こんな子供だましでビビるものか……！」

キドは断じて認めようとしないが、あまりに顔を真っ赤にして訂正するものだから正直説得力は皆無だった。

「はぁ……で、話をまとめると、キドとモモの二人でお化け屋敷に入ったものの、キドが『ある事情で』一人だけ出て来てしまって『ある事情で』一人では中に入ることが出来ない。モモはキドがいないと能力のせいで人を集めてしまうから、ここから出れずにいまだに中にいるってことでいいのか？」

「そ、そうだ！　飲み込みが早いな……さすがだシンタロー」

キドはそう言うと「ふっ」とかっこつけたように笑ったが、正直もうこの状態で自分にかっこよさを求めるのは無謀だ。

「で、『ある事情』ってなんだよ。お化け屋敷に入れない事情なんて、もうビビってるとしか——」

「断じてそうじゃない!!　そうじゃないが……な、内容はお前にも教えることは出来ん！」

先ほどから何度聞いてもキドは慌ててそう言うだけで、一向に答えようとはしなかった。

そういうわけで係員が次の客を案内するたびに「ビクッ！」と肩を揺らすビビりの団長は、現在使い物にならない。

要は一人じゃ怖くて入れないから、一緒に入ってくれる人を探していたということか。

確かにいくら姿が消せようと、お化け屋敷の中ではなんの意味もなさない。出来ることと言えば、せいぜい叫び声を相手に認識されないようにすることくらいだ。

しかし、本人が怖がっていないと言っている以上、オレがとやかく言うのはかわいそうなので、ここは仕方なく乗っかってやることにした。

「で、いよいよ次みたいだけど、準備はいいのか？　団長」

オレはキドにそう尋ねるが、すでに音が漏れてくるほどの音量で音楽を聴いているため、全く会話にならなかった。

しかし係員の動きで、次が自分たちの番だということに気づいたらしい。

入り口に向かい足を進める最中、キドはどんどん息を荒げて行った。

係員によって開かれたドアの奥には、不気味な西洋人形や血みどろのアンティークなどが散乱しており、外観にも増して「いかにも」な様相だった。

それを目の当たりにした瞬間、ひた隠しにしていたオレの恐怖心もみるみると膨らんで行く。

横を見るとキドは涙目になっているが、馬鹿にすることは出来ない。

なにせオレも恐らく涙目になっているだろうからだ。

不気味な洋館はギシギシと軋(きし)みながらその入り口を閉じ、足を踏み入れた二人のビビりを暗闇の中へと招き入れた。

扉が閉まると外界の光は完全に遮断され、点在する蠟燭(ろうそく)の灯火(ともしび)だけがゆらゆらと不気味に揺らめいていた。

先ほどの氷の迷宮とはまた違うタイプの、ひんやりとした空気が足下から体を冷やす。

オレたち二人は、その異様な雰囲気に圧倒されてしまい、もうすでに足を進めることが出来なくなってしまった。

「へ、へぇ、なかなか出来が良いな……なぁキド……」

仮にも女の子の手前震えを堪(こら)えて振り向くと、恐怖からかキドは目をつぶり音楽の世界に浸っている最中だった。オレはすぐさまキドのイヤホンを引き抜き、ポケットに入っていた音楽プレイヤーごと没収する。

「うわああ!! なにするんだシンタロー!! は、は、はやく返せ!」

「お前はアホか!! モモがどこにいるのかもわかんねぇのに会話出来なきゃどうしようもねぇだろ!」

「それはそうだが……しかし……!」

イヤホンを外されたキドはガタガタと震え出し、まるで産まれたてのヤギのような状態になった。普段の毅然とした振る舞いからあまりにもかけ離れた頼りなさに一層の不安感が押し寄せる。

しかし立ち止まっていてはどうしようもない。

一刻も早くここを抜け出すためにも、ここはがむしゃらに足を進めるしかないのだ。

オレがなんとか足を進め出すと、一歩遅れる形でキドもそれに続いた。

ゆっくりとだが着実に進んでいく道のりは、お化け屋敷独特の匂いとBGMのせいで、ただひたすらに怖い。

廊下に配置された首のない人間の肖像画や、ぶら下げられた鎌などが「今にも飛び出してくるんじゃないか」という恐怖心を煽(あお)る。

オレはそれらをあまり見ないように薄目になり、中腰で進んでいた。

キドもオレと似たような形になって進む。「いい歳した奴らがなにをやっているんだ」と思われるかも知れないが、知ったこっちゃない。こっちは必死なのだ。

「……っていうかお前一回入ってるんだろ？　どっから何が出て来るとか……知ってるんじゃゃないのか？」

オレはハッとしてキドの方を振り向くが、キドは目をつぶりオレの話を聞きたくないと言わんばかりに耳を塞(ふさ)いでいた。

「な、なんだよ無視すんなって……」

そう言いながらキドに手を伸ばそうとした瞬間、通路に転がっていた人形が喋り始めた。

「ひぎゃあああああああ!!　何だこいつ!!」

『この洋館の主人はかつて人形コレクターだったが、ある日を境に変貌し、客を招いては次々と人形に変えてしまう殺人鬼となった。お前たちは果たして生きて還れるかな……！

ヒッヒッヒ……!!』

オレは心臓が飛び出すほどの衝撃を受けて飛び退き、そのまま通路にへたり込んだ。

ふざけるな、何が殺人鬼だ！　こっちは殺人鬼の前にお前の登場でショック死しそうなほどデリケートなんだ。

へたり込むオレの横に立っていたキドは、安堵の表情で耳から手を離すと、申し訳なさそうにオレのことを見下ろした。

「お前……これ知ってただろ……だから耳塞いでたんだな……⁉」

「い、いや、すまん。教えようと思ってたんだが耳を塞ぐので精いっ……いや……これもお前にとっての試練だと思ってな」

キドは何か言いかけそうになったが、焦りながら話の方向転換をした。

「何が試練だよ‼　お前耳塞いでビビってただろ‼」

「び、ビビってなどいない‼　それはたまたま……！」

言いかけてキドは何かに気がつき。早足で奥の方に進んで行った。

いきなり恐怖心から解放でもされたのだろうか。いやそれはないだろう。あの感じだとキドは真性のビビりだ。

しかしだとすると……。

そこまで考えて、ふとオレは嫌な予感がした。

ゆっくりと今まで自分たちが歩いて来た通路を振り返ると、そこには恐らく館の主人に無惨に惨殺されたのであろう人たちが、血まみれの洋服を纏い歩いてくるのが見えた。

「あああああああああああああ!! すみませんすみません!! 勘弁してください!!」

オレは圧倒的速度で土下座をかまし、その直後地面から起き上がりゾンビたちとは逆方向に駆け出した。なんなんだあいつらは！ いや、エキストラの皆さんだろう。あまりに熱演過ぎて本気で命乞いをしてしまった。

先を行っていたキドにすぐ追いつくも、キドはキドで壁から飛び出して来る無数の手に腕を摑まれ、泡を吹きそうになっている真っ最中だった。

「うわあああ！ は、離せぇ!! やめろぉ！」

アトラクションであるということを忘れさせるくらいにキドは必死だった。

すると、壁の向こうのエキストラの皆さんはスッと手を引っ込める。

お勤めご苦労様です、二度と出てこないでください。

「はぁ……はぁ……いや、シンタローすまん。助かったよ……」

「いや、お前、オレだけ置いて逃げんなよ!!　めちゃくちゃ怖かっただろうが!!」

「え？　あ、あぁすまんすまん。ちょっと急用を思い出してな……」

そう言うキドは再び気まずそうに目をそらした。

——こいつはアレだ。本当に使い物にならない。

「……でモモとはどこら辺で別れたんだよ。もうちょい先か？」

「……っ、次の角を曲がったあたりだ。たぶん……」

飛び出す手のゾーンを抜け、キドの言っている角を曲がると、先の通路の両側に大量の棺桶(かんおけ)が積み上げられていた。……確か館の主人は客を人形に変えてるんじゃなかったか？　じゃあ棺桶なんて必要ないだろう。

しかしそれを言い出すと血まみれのゾンビもよくわからないし、壁から飛び出して来た手なんてさらにわけがわからない。

よくよく考えれば突っ込みどころ満載だが、そんなアトラクションにビビらされているオレたちは一体……。そんなことはともかく足を進めていると、右手の棺桶の山の陰に、一瞬茶色い髪の毛が揺れたのが見えた。

「……いた」


オレがそう呟くとキドは勢いよく後ずさりした。

「い、い、いたって何がだ⁉　ど、どこにいるんだ⁉　おい、シンタロー！」

「いや、幽霊じゃねえよ！　ほら、モモあそこに隠れてんだろ」

そういって指差すとキドもモモの髪らしきそれを見つけ、ホッと肩を撫でおろした。

「なんだキサラギか……いや、みつかってよかった。礼を言うぞシンタロー」

キドはパーカーのポケットに手を突っ込み再びかっこつけようとするが、もはやそれはギャグにしか見えなかった。

「だ、団長さぁん……」

棺桶の奥からモモの声が聞こえた、出てこないのは恐らくキドに迎えに来てもらうのを待っているのだろう。

……いや、しかし今ここには三人しかいないし、この距離くらいなら出て来てもいいと思うのだが。

「おぉ、キサラギ！　俺だ！　置いて行って悪かった、早くここを出……!!」

そう言いながらキドは棺桶の山に近づいていく。

しかし、振り向いたモモを見て、キドは気絶してしまった。

遠くから見ていたオレも驚いたが、悲鳴を上げなかっただけでも勲章ものだと言える。

「あ、あれ!?　団長さん!?　お、驚かせ過ぎちゃったかな……？」

棺桶から出てきたモモの顔は血まみれで、頭には斧が刺さっていた。

その格好でキドを抱きかかえているものだから、襲っているようにしか見えない。

「……なにやってんだよお前……」

近づくとオレに気づいたのか、モモはバッと振り向いた。

近くで見ると、なおのこと恐ろしい。

・・・・・・。
大江戸
鎖

「え⁉　お兄ちゃんお化け屋敷入れたの⁉　超ビビりのくせに……」

モモは血まみれで心底驚いたという表情をする。

「これぐらい入れるわ‼　で？　なんなんだよお前のその格好」

「あ、これ？　いやぁ団長さんに置いてかれて、そこの裏に隠れてたんだけど、そしたらこの斧の小道具見つけてさ。で、せっかくだから迎えに来た団長さん驚かせようと思って、ずっとメイクして待ってたんだけど。まさかこんなに効くとは……」

我が妹ながら上司を気絶させるとは恐ろしいやつだ。

しかしキドが気絶してしまっていては、結局ここから出ることは出来ない。

「どうすんだよお前！　出れねえじゃねえか！」

「うわあああああ！　そうだった！　ど、どうしよう……そうだ、団長さん起こせば……」

そう言ってモモはキドの体をユサユサと揺らす。

「いや、お前はまずその顔をなんとかしろよ！　今起こしてもその顔見たら、こいつまた気絶するだろ！」

「そ、そっか！」

それを聞いてハッとしたモモは、再び棺桶の奥の方に飛び込んで行った。

ここにキドを放置していては、次の客が来た時に大騒ぎになるだろう。

しょうがなくオレもずるずるとキドを引きずりながら、棺桶の奥へと移動する。

モモはしゃがみ込むと頭の斧を外し、ポーチからメイク落としのウェットティッシュを一枚取り出すと、せっせと顔を拭き始めた。

オレもその横に腰を下ろし、ため息をつく。

思えば結局一人になることが出来ず、全くプライベートタイムを満喫することが出来ていなかった。


「なんかめちゃくちゃ疲れた……」

「ごめんね……私のせいでなんかバタバタさせちゃって」

顔を拭き終わったモモは、申し訳なさそうにそう言うと携帯を取り出した。

そこには今朝、モモが「携帯の復活祝いに」と撮ったオレたちの集合写真が待ち受けにされている。しかし待ち受けサイズにしたことで、オレは画面の外へと見切れてしまっているので、あまりいい気分ではなかった。

「結構時間経っちゃったか……でももうちょっと遊ぶ時間はあるよね？」

モモはそう言うと携帯をしまい、横になっているキドの体をユサユサと揺らし始めた。

「団長さん団長さん！　起きてください！　遊園地しまっちゃいますよ！」

「……う、うぅん……はっ⁉　キサラギ！　お、俺はなんでここで寝てたんだ？」

キドはバッと起き上がり、周りをキョロキョロと見回した。どうやらモモに驚いて気絶したことは覚えていないらしい。

「あ……ええと……なんかいきなり気絶しましたよ？」

モモはキドから目を逸らしながらそう言うと、オレに軽く目配せをした。


「そ、そうか……まぁいい。キサラギにも会えたことだし、さっさとここを出るか」

そう言うとキドの瞳が、黒から赤色に変化した。

「とりあえずモモだけ姿を見えないようにした。俺とシンタローはこのままここを出るぞ」

ハッとしてモモがしゃがんでいた方を見ると、すでにその姿は見えなくなっていた。

じっくりと目を凝らして見るとなんとか認識することはできるのだが、改めて考えると便利な能力だ。


オレみたいな人間が持っていたら……銭湯に通うようになるかもしれない。

それはさておき、立ちあがって出口を目指すべく再び通路に出る。

ここからまだしばらく心臓を休めることが出来ないと考えると、非常に気が重くなった。

足を踏み出そうとしたその時、なぜかふと違和感を覚えた。

モモに会った時から感じていた違和感の正体は、考えてみればすぐにわかることだった。


いや、待て待て。「だとしたら」これまでの一部始終が全て……。


オレは途端に寒気を覚え、再び怯え始めていたキドに尋ねることにした。

オレが足を止めると、キドもそれに習って足を止める。

「……ん？　どうしたシンタロー。ほら、早く出るぞ」

いや……恐らくオレの予想は当たっているだろう。

無意識とはいえさっき確認しているのだから。

「なぁ……キド。エネってジェットコースターに乗った後……どうした？」

それを聞いてキドはキョトンとした顔をした。

「エネならあの後すぐ、お前に付いて行くと言っていなくなったぞ……？」

――キドがそう言うと、オレのポケットに入っていた携帯が笑うようにブブッと震えた。

＊

オレは一人、再びベンチに座っていた。

『うわあああああああ!!　ジャージがあああああ!!』

あのお化け屋敷も最初は怖かったが、最後の方はそうでもなかったな。
やはり遊園地のアトラクションだ。大したことはない。

モモとキドはあの後、「一度マリーたちと合流して来る、後でまた連絡する」と言って団員を探しに行った。

男二人はともかくとしてマリーは携帯も持っていないだろうし、結構骨の折れる作業になるだろう。

『ああああああああああああ!!　すみませんすみません!!　勘弁してください!!』

結局夢のプライベートタイムなんてものは幻想だったようだ。

下手に羽を伸ばそうとした結果がこれか……我ながら哀れだ……。

『うっ……なんかきもちわりぃぃ……うぇ……うっ……』

「――ああああああああ!!　やめろ!!　それは流すな!!」

手に持っていた携帯電話にいよいよ怒鳴ると、画面では青い髪のツインテールの少女が、足をバタバタさせて笑い転げていた。

「あぁお腹いたい……!　いやぁすみません。だってご主人があまりにも美味しい素材を提供してくださるものですかぶッ!!　あっはは!!」

「誰が素材だ誰が!!　……あぁ……お前がいるとわかってたら口にガムテープでも貼ってたのに……」

『ひぎゃあああああ!!　ぎゃあああああああ!!　ビックリしたぁ!!　何だこいつ!!　すみませんすみません!!　……なんかきもちわりぃぃい』

オレが絶望に打ちひしがれているというのに、エネは依然として、「絶叫サンプリング音源」を切り貼りしては爆笑している。

結局、こいつはオレがカノやセトと会話している時から、ずっと携帯の中にいたのだ。

そして今日一日のオレの痴態集をしっかり録画録音し、現在はこうして新しい遊び道具に夢中になっている。

「いい加減苦しくなってきました……ふぅ。で!　ご主人!　今日は楽しめましたか?」

ニコッと画面いっぱいに顔を近づけ、嬉しそうに質問してくるそいつの顔からは善意のかけらも感じない。

「……あぁ……おかげ様で最悪の一日だったよ。ありがとうな」

オレもさすがにこいつに慣れて来ているのか、怒り狂っても無駄だということは、理解しているのだった。

しかし携帯を握る手は、ディスプレイにひびが入りそうなほどに力が込もっていた。

「いやいや、お礼には及びませんよ？　だって……まだ私ぜんっぜん遊んでないですし！　今日はまだまだ回りますよ⁉」

「はあぁ⁉　いや、お前もう十分楽しんだだろ⁉　もう帰ろうぜ……」

「いやです！　まだ全然楽しんでないです！　ご主人は『一緒に遊ぶ』って約束しました。ワスレテマセン」

そう言うエネの顔は、いつもオレを脅迫する時にみせる膨れっ面になっていた。

こういう時に適当な対応をして、後々とんでもないことになるのがいつものパターンだ。

以前にもこいつに「一緒にゲームをやりましょう」と言われた時があった。

その時オレは徹底してシカトを決め込んでいたが、直後パソコン内にウィルスが大量に侵入し、それの駆逐と引き換えに課金までしてゲームを始めることになってしまった。

……そういう後の面倒くさいもろもろを考えると、初めからこいつの機嫌を損なわないことが頭の良いやりかただろう。

だがしかしめんどくさ……。

「……遊んでくれないのであれば、妹さんにご主人の秘蔵フォルダを……」

「よぉし！　遊びたくなってきた‼　じゃあどれから乗ろうか⁉　なるべく激しい動きをしないやつな！」

やけくそだった。オレはベンチから立ち上がりエネと向き合う。エネは非常に満足げな、勝ち誇ったような表情を浮かべていた。

しかしなんだかんだで、オレもまだ久々の外出を満喫出来てはいない。

こいつと一緒なのは少々癪だが、せっかくの遊園地だ。

もうちょっと遊び回りたい気持ちはオレにもあった。


「さっすがご主人‼　じゃあ最初はですね……あ！　あれなんかいいんじゃないですか⁉　椅子に座ってエイリアンを撃ちまくるやつです‼　ご主人、シューティングゲームは得意ですよね？」

「はぁ？　お前なんでそんなこと知ってんだよ。一緒にやったことなんてないだろ？」

「あれ、そうでしたっけ？　まぁいいじゃないですか、私はご主人のことならなんだってわかるんです！　そんなことよりも、早く行きましょう？」

そう言うとエネは、ビシッと進行方向を指差した。

「……わかったよ……。しゃあねえから付き合ってやる。頼むから、あんまり騒がないでくれよ……？」

「了解です！」

エネは満面の笑みでそう答えた。

本当に自分勝手で、

意地が悪くて、

つかみどころのないやつだ。

なんとなく昔のことを思い出しそうになったが、それをすることをオレは止める。

今はそんなことより、こいつのワガママを聞いてやることでいっぱいいっぱいだ。

――日が暮れるまでに、どれだけ遊べるだろうか。

オレは携帯を羅針盤のように構え、エネが指し示す方向に、歩き始めた……。

～あとがき『目もあてられない話』～

　じんと申します。

『カゲロウデイズⅡ -a headphone actor-』お楽しみいただけたでしょうか？

今回の小説は、作品の世界観と同様、連日外気温三十度を超える猛暑日の中、エアコンの温度を二十三度に設定し、毎日ピザを食いながら執筆させていただきました。

　事務所の方々寄生してしまってすみません。


　そうそう、前作の『カゲロウデイズ -in a daze-』のあとがきで「今作が大コケすると、次回作は学園ラブコメをやらなくては！」的なことを書いたのですが、ありがたいことに、おかげさまで予想を大きく上回る反響をいただきました（笑顔）。

ですので今回、内容が学園ラブコメチックなのはそれが原因ではありません。

単純に僕が愛情に飢えていたことが原因です。ご安心ください！

今回の小説もシングルの制作やライブなどと並行して執筆していたのですが、何のことはありません、気が狂いそうなギリギリの進行でした。

いやいや、全然大変ではないんですよ？　本当です。

3巻の執筆のことを考えただけで食べたものを全部便器にリリースするくらい、次の執筆も楽しみで仕方ありません！

徐々に減っていた自分のヒットポイントゲージが、最近黄色から赤に変わりました。

このあとがきも2巻を書ききった直後、薄れ行く意識の中で書いているので「どこかに間違えて下ネタなんか書いていたらどうしよう……」と不安な気持ちでいっぱいおっぱい乳輪丸です。

いや、きっと皆さんの手元に届く頃には、編集さん（イケボ）が綺麗に除霊してくれていると思うので、大丈夫でしょう。きっと。

（※編集注：作家さんの意志を尊重して原文のママ掲載しております）

下ネタといえば前巻のあとがきで「チンチン（薔薇(ばら)の名前です）」を連発していたせいで、田舎のオカン（52）から「『自分の息子が小説を書いた』って沢山宣伝してるから！頑張るんだよ！」と電話で言われるたびに頭が痛みます。

しかし妹（18）に「お兄ちゃんの小説、周りの友達の子も結構読んでくれてるよ！」と言われた時は、逆に異様な興奮を覚えました。

妹のお友達さん、見てるかい？　僕がお兄ちゃんだよ（ニッコリ）

妹といえば、僕は登場人物の「シンタロー」によく似ていると言われます。自分ではそんな気がしていないですし、正直シンタローは相当気持ち悪いキャラクターだと思っているので全然嬉しくないのですが、逆に思いました。

「これはチャンスなのではないか」と。

小説の中でシンタローを女の子と仲良くさせると、もしかすると現実世界の僕も女の子とイチャイチャ出来るのではないか。いや、きっとそうに違いないはず！

現に1巻でシンタローのパソコンが壊れたのですが、最近僕のパソコンも謎のエラーでぶっ壊れました。このことからも僕らは非常に深い関連性があると言えるでしょう。

なので今回の小説ではシンタローはかなりオイシイ思いをしています。きっとそろそろ僕にも遊園地行きの切符が届くことでしょう。ワクワクです！

そんなわけで「そろそろ画面の中から話しかけてくれる、絶対に消えない可愛い女の子が現れるのではないか」と、毎日ズボンを降ろして待機しているのですが……なぜだか一向に現れる気配がありません。本当に、なぜなんでしょうか？

しかし先日、何回消しても全然消えないアダルトサイトの広告は現れました。

想像していたのとはちょっと違いますが、最近は毎日それに話しかけることで精神の安定を保てています。神様ありがとう。

あ、ということで今回もそろそろお別れのようです。

今回も本当にいろいろな方に支えていただきました、ありがとうございます。

そしてこれからもぜひ！　応援よろしくお願いいたします！

次回3巻も、またあとがきでお会いしましょう！　では！

じん（自然の敵P）

すみません。

しづです、お久しぶりです。
今回もまたイラストを担当させて
頂きました。ありがとうございます。

前回言ったとおりかっこいいシンタローを
描くかと思いきや 前回以上に
時間がないので かっこいいゴマを
描いてごまかします、ゴマだけに。
すいません。ありがとうございました。

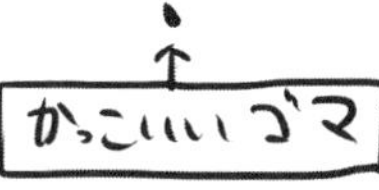

2012.9.14
しづ

@わんにゃんぷー☆

お祝いコメント

お疲様ですー！

2巻発売おめでとうございます!!
やっぱり今回もお面白い!!

カゲロウデイズ第二巻、
発売おめでとうございます!

今回、話の主軸に
置かれるのが「ヘッドフォンアクター」
という、僕が一番好きな楽曲
なので、どんな物語なのか
とても楽しみです。
これからも忙しそうですが
体を壊さないよう、気をつけて
ください…!!

風呂

エネですよー!!

ご主人ー!!

小説二巻!!
おめでとう!!
知らない人は初めまして！
りゅうせーと言います。
じんさん、しづさん、わんにゃんさん。
この度は二巻の発売おめでとー！
いやーいろいろありましたね！
僕はいろいろありすぎて、
モモ推しからマリー推しに
なってしまいました。（一巻あとがき参照）
そんなわけでこれからも
つっぱしっていってください！
おうえんしてるよ！
← 間違った森ガールver
マリー
りゅうせー
ニャーン！

行ける
トコまで
一気に 行っちゃって
ください!!

ナナメウシロから
みまもってます。

赤坂
アカ
(IAの人)

カゲロウデイズII★☆
-a headphone actor-
発売おめでとうございます!!
ああ やっぱり キドかわいかったなぁ
あ、11月にコミックもでるよ〜
1巻を読んだときから続きがすごく楽しみでした…!いつも沢山のわくわくをありがとうございます!!
これからもがんばってください!!!
佐藤まひろ
★☆

—セッテイシリョウ—

セト

ヅャーーヅ

登場キャラクター

エネ　　シンタロー　　アヤノ

カノ　　アザミ　　楯山研次朗

登場キャラクター

ヒビヤ　　ヒヨリ　　キド

貴音＋遥＋コノハ設定

●ご意見、ご感想をお寄せください

ファンレターの宛先

〒104-8441 東京都中央区築地1-13-1 銀座松竹スクエア KCG文庫編集部

じん(自然の敵P)先生 しづ先生

●QRコードまたはURLより、本書に関するアンケートにご協力ください

https://ebssl.jp/kcg/enq/

・スマートフォン・フィーチャーフォンの場合、一部対応していない機種もございます。
・回答の際、特殊なフォーマットや文字コードなどを使用すると、読み取ることができない場合がございます。
・お答えいただいた方全員に、KCG文庫作品の画像の無料待ち受けをプレゼントいたします。
・中学生以下の方は、保護者の方の了承を得てから回答してください。
・サイトにアクセスする際や、登録・メール送信時にかかる通信費はご負担ください。

カゲロウデイズⅡ

–a headphone actor–

し-1 1-2 KCG文庫

2012年10月11日 初版発行
2016年2月19日 第十六刷発行

著　者　じん(自然の敵P)

発行人　三坂泰二

発　行　株式会社 KADOKAWA
〒102-8177 東京都千代田区富士見2-13-3
電話 0570-060-555(ナビダイヤル) URL:http://www.kadokawa.co.jp/

編集企画　KCG文庫編集部
〒104-8441 東京都中央区築地1-13-1 銀座松竹スクエア

製　作　株式会社 ブックウォーカー
〒102-0071 東京都千代田区富士見1-6-1 富士見ビル7F

印刷所　暁印刷

●本書の内容・不良交換についてのお問い合わせ
エンターブレイン カスタマーサポート TEL 0570-060-555(受付時間 土日祝日を除く 12:00～17:00)
メールアドレス support@ml.enterbrain.co.jp (メールの場合は、商品名をご明記ください)

ISBN 978-4-04-728339-8 C0193 Printed in Japan 定価はカバーに表示してあります。

夢見がちな少女に
翻弄されて毎日が大変!?

プリズミックデイズ

琴塚守里（ことづかまもり）

イラスト：桜沢いづみ

夏は合宿、特訓と水着とお風呂と恋バナと…!?
E★エブリスタ発、大人気学園バトルファンタジー！

できそこないの救世主2

黒菱健（くろびし けん）
イラスト：鹿澄ハル

オカルト大好き電波幼馴染やら
見目麗しい親友の男の娘やら…幽霊やら!?

ある日突然美少女の幽霊にとり憑かれてしまったわけだが

山崎もえ（やまざきもえ）
イラスト：**小波ちま**

「──私はカフカ。
この姿では『はじめまして』、ね」

傾世のカフカ

北条アキ（ほうじょう あき）
イラスト：77gl

「正義の炎がこの身にたぎり、悪を倒せと
血が歌う！　正義完了（ジャスティスコンプリート）！」

正しい魔導の使い方
-blood × blood-

羽田トモ（はねだ とも）
イラスト：住馬都

動機演出家
雪織廿楽のヒトゴロスイッチ

飯山満(はさま)
イラスト:ぽぽるちゃ